El Papa dijo:

"La oración es la respiración del alma: es importante encontrar momentos durante el día para abrir el corazón a Dios, incluso con oraciones sencillas y breves del pueblo cristiano.

Por esto he pensado en haceros un regalo a todos vosotros que estáis aquí en la plaza, una sorpresa: un pequeño librito de bolsillo, que recoge algunas oraciones, para los diversos momentos del día y para las distintas situaciones de la vida.

Llevadlo siempre con vosotros, como ayuda para vivir toda la jornada con Dios.

Recordad: rezar también por mí, como yo me acuerdo de vosotros", finalizó.

**«Cuando rezo Dios respira en mí»**

Mi foto

## Este libro pertenece a

Mi nombre y apellidos:

Regalado por:

Fecha: Tel.

## Mi viaje de fe (fechas)

Mi bautizo fue el día:

Mi Primera Comunión:

Mi Confirmación:

DIOS TE ESCUCHA
¡Llámalo!

# ÍNDICE

# ORACIONES E INVOCACIONES

*“Dejad que los niños vengan a mí, y no se lo impidáis, porque el reino de los cielos es de quienes son como ellos.”*
*(Mateo 19:14)*

# LA SEÑAL DE LA CRUZ

**Nos persignamos:**

*Hacemos una cruz en la frente y decimos...*

Por la señal de la Santa Cruz...

*Una cruz en la boca y decimos...*

de nuestros enemigos...

*Una cruz en el pecho y decimos...*

líbranos, Señor, Dios nuestro.

**Nos santiguamos:**

*(sigue los números de las camisetas)*

En el nombre del Padre...

Santo.

y del Espíritu...

y del Hijo...

Amén.

# EL PADRENUESTRO

“Jesús dijo a sus discípulos: Vosotros orad así:”

*(Mateo 6,9-13)*

Padre nuestro, que estás en el cielo, santificado sea tu nombre.

Venga a nosotros
tu reino: hágase
tu voluntad
en la tierra
como en
el cielo.

Danos hoy nuestro pan de cada día.

perdona nuestras ofensas...

...como también nosotros perdonamos a los que nos ofenden;

...no nos
dejes caer en
la tentación,
...y líbranos
del mal.
Amén.

# AVE MARÍA

**D**ios te salve, María,
llena eres de gracia;
el Señor es contigo;
bendita Tú eres
entre todas las mujeres,
y bendito es el fruto de tu vientre, Jesús.

Santa María, Madre de Dios,
ruega por nosotros, pecadores,
ahora y en la hora de nuestra muerte.

Amén.

# GLORIA AL PADRE

Gloria al Padre,
y al Hijo,
y al Espíritu Santo.

Como era en el principio,
ahora y siempre,
por los siglos de los siglos.

Amén.

# CREDO

Creo en Dios, Padre Todopoderoso, Creador del cielo y de la tierra.

Creo en Jesucristo, su único Hijo, Nuestro Señor, que fue concebido por obra y gracia del Espíritu Santo, nació de Santa María Virgen, padeció bajo el poder de Poncio Pilato, fue crucificado, muerto y sepultado,descendió a los infiernos, al tercer día resucitó de entre los muertos, subió a los cielos y está sentado a la derecha de Dios, Padre Todopoderoso.

Desde allí ha de venir a juzgar a los vivos y a los muertos.

Creo en el Espíritu Santo, la santa Iglesia católica, la comunión de los santos, el perdón de los pecados, la resurrección de la carne y la vida eterna.

Amén.

# ÁNGEL DE DIOS

*“Es realidad, Dios lo ha dicho: Yo envío un ángel ante ti para acompañarte en el camino, para que no te equivoques”*

Papa Francisco.

**Á**ngel de Dios, que eres mi custodio, pues la bondad divina me ha encomendado a ti, ilumíname, guárdame, defiéndeme y gobiérname.

Amén.

# ÁNGEL DE MI GUARDA

*“El Ángel es un amigo que no vemos, pero que escuchamos y nos aconseja. Y un día estará con nosotros en el Cielo”.*
*Y cuando hacemos algo malo y pensamos que estamos solos: “No, él está”.*
*Cuando sentimos la inspiración: “haz esto... esto es mejor... esto no se debe hacer... ¡Escucha! ¡No te rebeles a él!”.*

Papa Francisco.

**Á**ngel de mi guarda dulce compañía no me dejes solo ni de noche ni de día que si no me perdería.

Amén.

QUEDARON LLEN
Y COMENZARON A H

## ORACIONES CORTITAS A JESÚS, MARÍA Y JOSÉ

Jesús, José y María os doy el corazón y el alma mía.

Jesús confío en Ti.

Señor, Tú lo sabes todo,
Tú sabes que te quiero.

Jesús, sálvame.

Madre mía, Te quiero,
ayúdame.

*o bien*

Jesús, hijo de la Virgen María, ten piedad de mí.

Jesús, camino, verdad y vida, ten piedad de mí.

ESPÍRITU SANTO
EN OTRAS LENGUAS *(Hechos 2:4)*

Jesús, amigo de los pecadores, ten piedad de mí.

Jesús, médico de las almas y los cuerpos, ten piedad de mí.

## INVOCACIONES AL ESPÍRITU SANTO

**V**en, Espíritu Santo, llena los corazones de tus fieles y enciende en ellos el fuego de tu amor.

*o bien*

Ven, Espíritu Santo; Ven por María

Amén.

# VISITAR A JESÚS SACRAMENTADO

¿Sabías que Jesús está esperándote en el Sagrario? Él está presente en el pan consagrado en la misa. Luego el sacerdote lo pone en el Sagrario para que podamos visitarlo y estar con Jesús.

Él quiere estar contigo, escucharte y darte muchísimos regalos.

Cuéntale tus cosas cuando le visites, porque Jesús dijo: "Venid a mí".

Jesús te dice: "Hola, te esperaba. Estoy aquí para ti, para que puedas venir y contarme tus cosas.

¿Cómo te ha ido el día? ¿Estás contento?

Si tienes algún problema o te preocupa algo, cuéntamelo.

Yo puedo ayudarte y estoy deseando hacerlo. Solo tienes que pedírmelo.

"Jesús ayúdame". ¡Si supieras cuanto te quiero! Si vienes a verme lo comprenderás.

Pídeme por tus necesidades y por tu familia y por tus amigos.

Háblame como a un amigo, un amigo que siempre estará a tu lado.

¡Vuelve pronto! Tu amigo Jesús".

# LA RECONCILIACIÓN O CONFESIÓN

***¿Sabes que es lo que más le gusta al Señor?***

¡Perdonarnos! Sí, perdonar a sus hijos para que luego perdonemos a nuestros hermanos *(Papa Francisco)*.

Todos somos pecadores y, así, al hacer el mal, nos ponemos tristes y nos alejamos de Dios y de los demás.

Dios nos perdona solo con arrepentirnos y pedir perdón.

Por eso Jesús nos dejó la Confesión, para reconciliarnos con Dios una y otra vez.

Ve a confesarte: Jesús es increíblemente bueno, te perdonará y te dará después una felicidad y una alegría enormes.

### *¿Cómo se hace la Confesión?*

## 1. Examen de Conciencia:

Jesús conoce tu corazón y sabe que a veces nos equivocamos, por eso recordamos nuestras faltas y pecados para pedir a Dios que limpie nuestro corazón.

Pide al Espíritu Santo que te ilumine y haz un Examen de conciencia:

- *¿He rezado mis oraciones diarias?, ¿hablo con Dios cada día, le doy gracias por lo que tengo, le pido ayuda?*
- *¿Escuché con atención la Palabra de Dios en casa, en catequesis y la Misa?, ¿he dicho blasfemias usando mal el nombre de Dios, mi Padre?, ¿participo en la Misa con atención?, ¿falto a Misa los Domingos y Fiestas porque quiero?*
- *¿He obedecido a mis padres y profesores?, ¿he tratado a mis padres y*

*hermanos con poco cariño?, ¿fui egoísta?*

- *¿He ayudado en casa?*
- *¿He estudiado y hecho los deberes lo mejor que puedo?*

- *¿He copiado en los exámenes por no estudiar?, ¿me porté mal en clase?*
- *¿Pierdo el tiempo viendo la tele o viciándome con internet o videojuegos?*
- *¿Hice daño a alguien, lo maltraté?, ¿hablé mal de alguien?, ¿rompí o estropeé sus cosas?*
- *¿He pegado, he insultado?, ¿he animado a otros a que hicieran cosas malas?*
- *¿Defendí a quien acosan o hacen bullying?,*
- *¿Vi en la tele o internet imágenes que me hacen daño, como de violencia o sexo?*
- *¿Me quejé de la comida o la tiré a la basura olvidando a los más pobres?*
- *¿He robado algo?*
- *¿He dicho mentiras?*

- *¿He tenido envidia de alguien y de sus cosas?, ¿he compartido mis juguetes con los demás?*
- *¿Me he enfadado o he sido impaciente?*
- *¿Me porté bien en mis juegos?, ¿he excluido a alguien?*
- *¿He perdonado si alguien me ofendió?, ¿pedí perdón si ofendí a alguien?*

**2. Dolor de los pecados:** Al pecar ofendemos a Jesús, nuestro amigo. Él sufre cuando nos separamos de Él y nos disgustamos con nuestros amigos o seres queridos.

**Dices ahora el acto de contrición:** Al decir "lo siento, perdóname", Jesús te abraza.

Dios mío, me arrepiento de todo corazón de todos mis pecados porque te he ofendido a Ti, infinitamente bueno.

Dame tu santa ayuda para no pecar más y apartarme de las ocasiones de pecado.

Jesús, perdóname.

Amén.

*o bien*

**S**eñor Jesús, Hijo de Dios, ten piedad de mí que soy pecador. Amén.

**3. Propósito de no volver a pecar:**

Ahora ves el dolor que causamos cuando nos portamos mal.

Arrepentidos, le pedimos a Jesús que nos ayude para no ofenderlo más y reparar el daño que hicimos.

**4. Decir los pecados al sacerdote:**

En el Confesionario, es Dios mismo quien te escucha con amor y te perdona.

*Tras saludar, haces la señal de la cruz mientras dices: "Han pasado... dias/ semanas/años desde mi última confesión" (Si no lo recuerdas, aproximadamente).*

Mis pecados
son...

**5. Cumplir la penitencia:**

Ahora piensa que ¡empiezas de nuevo!

**Tus pecados ya no existen, Jesús los ha borrado.** Disfruta de la alegría y la paz que Dios ha puesto en tu corazón.

Dios te quiere
y te perdona
siempre.

# ORACIONES A LA VIRGEN MARÍA

## BENDITA SEA TU PUREZA

**B**endita sea tu pureza
y eternamente lo sea, pues
todo un Dios se recrea
en tan graciosa belleza.

A Ti, celestial princesa,
Virgen Sagrada María,
yo te ofrezco en este día,
alma, vida y corazón.

Mírame con compasión, no me dejes,
Madre mía hasta morir en tu amor.

## BAJO TU AMPARO

**B**ajo tu amparo nos acogemos, santa Madre de Dios: no desoigas la oración de tus hijos necesitados; líbranos de todo peligro, oh siempre Virgen gloriosa y bendita.

Amén.

## SALVE A MARÍA

**D**ios te salve, Reina y Madre de misericordia, vida, dulzura y esperanza nuestra; Dios te salve.

A ti llamamos los desterrados hijos de Eva;
a ti suspiramos, gimiendo y llorando, en este valle de lágrimas.

Ea, pues, Señora, abogada nuestra, vuelve a nosotros esos tus ojos misericordiosos, y, después de este destierro, muéstranos a Jesús, fruto bendito de tu vientre.

¡Oh clementísima, oh piadosa, oh dulce siempre Virgen María!

Ruega por nosotros, Santa Madre de Dios, para que seamos dignos de alcanzar las promesas de Nuestro Señor Jesucristo.

Amén.

# MAGNIFICAT

Entonces María dijo:

**P**roclama mi alma la grandeza del Señor, se alegra mi espíritu en Dios, mi Salvador, porque ha mirado con bondad la pequeñez de su sierva.

*(puedes rezarlo completo en Evangelio de Lucas, 1, 46-56)*

*Para pensar:*

## LA ALEGRÍA

El nacimiento de Jesús es anunciado como una "gran alegría": Dios nos ama. Así es nuestro Dios; se acerca mucho, en un niño. ¿Os dáis cuenta de que Jesús os quiere mucho y quiere ser vuestro amigo?

Si estáis convencidos de ello, sabréis transmitir la alegría de esta amistad por todas partes: en casa, en la iglesia, en la escuela, con los amigos... dispuestos a echar una mano a los necesitados. Y por los enemigos, rezad para que se acerquen a Jesús... y también por aquel que no te quiere mucho... sin hablar mal de nadie, es algo que no se tiene que hacer.

Cuando estemos un poco tristes, cuando parece que todo va mal, cuando un amigo o una amiga nos decepciona, o más bien nosotros nos decepcionamos a nosotros mismos, pensemos: "Dios me ama", "Dios no me abandona".

Nuestro Padre es siempre fiel a nosotros y no para un instante de querernos, de seguir nuestros pasos y también de seguirnos cuando nos alejamos un poco. Por esto en el corazón del cristiano siempre hay alegría".

*18 de marzo de 2015;19 diciembre 2016*

# ORACIONES DURANTE EL DÍA

# TE ADORO, DIOS MÍO

Te adoro, Dios mío, y te quiero con todo mi corazón.

Te agradezco que me hayas creado, hecho cristiano y guardado durante esta noche.

Te ofrezco mis acciones de la jornada: haz que sean todas según tu santa voluntad y para mayor gloria tuya.

Guárdame del pecado y de todo mal.

Que tu gracia esté siempre conmigo y con todos mis seres queridos.

Amén.

*"Yo soy todo tuyo y cuanto tengo te pertenece, dulce Jesús mío, por medio de María, tu santa Madre."*

*S. Luis María Grignon de Monfort*

# EL COLEGIO

### *Oración al ir al colegio:*

Jesús, ahora voy al colegio;
como Tú también ibas
de pequeño.

Protégeme a mi y a
mis compañeros en el
camino.

Quiero aprovechar bien
las clases y aprender.

No te olvides de los
niños que no pueden ir al
colegio y bendice a mis
profesores.

Amén.

### *Oración para antes de un examen:*

Jesús, hoy tengo exámenes en la escuela.

Estudié bastante, pero puedo
perder la calma y equivocarme.

Que el Espíritu Santo me ayude,
para salir bien en todo.

Ayuda también a mis
compañeros.

Amén.

A MEDIODÍA

# EL ÁNGELUS

**V.** El Ángel del Señor anunció a María.

**R.** Y concibió por obra y gracia del Espíritu Santo.

Dios te salve, María... Santa María...

**V.** He aquí la esclava del Señor.

**R.** Hágase en mí según tu palabra.

Dios te salve, María... Santa María...

**V.** Y el Verbo se hizo carne.

**R.** Y habitó entre nosotros.

Dios te salve, María...
Santa María...

**V.** Ruega por nosotros
santa Madre de Dios.

**R.** Para que seamos dignos
de alcanzar las promesas
de Nuestro Señor Jesucristo.

***Oración:***

Derrama, Señor, tu gracia en nuestros corazones, para que, habiendo conocido por el anuncio del ángel, la encarnación de Jesucristo tu Hijo, lleguemos por los méritos de su Pasión y muerte en la Cruz a la gloria triunfante de la resurrección. Por Cristo nuestro Señor. Amén.

# REGINA COELI

***Se reza durante el tiempo pascual en lugar del Ángelus.***

℣. Reina del cielo, alégrate, aleluya,

℟. Porque el Señor, a quien has merecido llevar, aleluya,

℣. Ha resucitado, según su palabra, aleluya.

℟. Ruega al Señor por nosotros, aleluya,

℣. Goza y alégrate, Virgen María, aleluya.

℟. Porque resucitó verdaderamente el Señor, aleluya.

***Oremos:***

Oh Dios, que por la resurrección de tu Hijo, nuestro Señor Jesucristo, has llenado el mundo de alegría, concédenos, que por intercesión de su Madre, la Virgen María, alcancemos los gozos de la vida eterna. Por el mismo Jesucristo nuestro Señor.

Amén.

### *Antes de comer:*

**B**endícenos, Padre, a nosotros y a estos dones, que vamos a recibir como signo de tu bondad.

Por Cristo nuestro Señor.

Amén.

*o bien*

**E**l Niño Jesús que nació en Belén, bendiga la mesa y a nosotros también.

Amén.

*o bien*

### *Después de comer:*

**T**e damos gracias por todos tus beneficios, Dios omnipotente. Tú que vives y reinas por los siglos de los siglos.

Amén.

# VOLVER DEL COLEGIO

## *ración al volver del colegio:*

esús, te agradezco este día en el colegio.

le fue bien. He estudiado, trabajado y
gado mucho.

hora por favor, acompáñame a mi casa

mén.

*l Papa Juan Pablo II decía :"desde pequeño
prendí a rezarle al Espíritu Santo. Cuando tenía
1 años, me entristecía porque se me dificultaban
nucho las matemáticas. Mi padre me dijo: rézale y
erás que El te ayuda a comprender".*

## *ración al Espíritu Santo antes de estudiar:*

Espíritu Santo, ayúdame a entender, dame
apacidad para retener,

acilidad para aprender,
racia y eficacia
ara hablar.

Dame acierto al
mpezar, dirección
l progresar y
erfección al
acabar.

Amén

POR LA TARDE

# TE ADORO, DIOS MÍO

Te adoro, Dios mío y te quiero con todo m corazón.

Te agradezco que me hayas creado, hecho cristiano y protegido durante este día.

Perdóname el mal que haya podido cometer y si he hecho algo bueno acéptalo.

Protégeme durante el descanso y líbrame del peligro. Que tu gracia esté siempre conmigo y mis seres queridos.

Amén.

***Antes de dormir:***

Jesusito de mi vida Tú eres niño como yo, por eso te quiero tanto y te doy mi corazón, tómalo, tuyo es y mío no.

*o bien*

**C**on Dios me acuesto,
con Dios me levanto,
con la Virgen María y el Espíritu Santo,

*o bien*

**S**álvanos, Señor, despiertos, protégenos mientras dormimos, para que velemos con Cristo y descansemos en paz.

*o bien*

***Petición de perdón:***

**A**cuérdate, Señor, de tu amor, de tu fidelidad que es para siempre.

No recuerdes mis pecados: acuérdate de mí en tu misericordia, por tu bondad, Señor.

# ORACIÓN PARA CUANDO ESTÁS ENFERMO

Señor, estoy enfermo y no tengo ganas de jugar ni de ir al colegio.

Ven a visitarme para que pueda recuperarme pronto.

Te doy gracias por las personas que me cuidan y alivian mi dolor.

Amén,

*o bien*

*Si encontráis difícil rezar, pedidle a Jesús una y otra vez:*

Jesús ven a mi corazón, reza conmigo, reza en mí para que yo pueda aprender de Ti.

*Santa Teresa de Calcuta.*

# REZAR EN FAMILIA CON EL PAPA FRANCISCO

**_Orar en familia:_**

*Todas las familias tenemos necesidad de Dios, de su ayuda, de su fuerza, de su bendición, de su misericordia, de su perdón.*

*Rezar el uno por el otro: el marido por la esposa, la esposa por el*

*marido, los dos por los hijos, los hijos por los padres, por los abuelos... Rezar juntos el "Padrenuestro", alrededor de la mesa... rezar juntos el Rosario, en familia, es muy bello, da mucha fuerza.*

*Esto es rezar en familia, y esto hace fuerte la familia: la oración.*

*27/Octubre/2013*

### *Oración por mi padre:*

Querido Papá del Cielo, te pido que cuides y protejas a mi padre, que trabaja mucho y así puede vivir la familia.

Me enseña muchas cosas y con él me siento seguro. Me gusta jugar con él.

Gracias por tener un padre con nosotros aquí en la Tierra.

### *Voy a rezar por mi madre:*

Hola Jesús, te doy gracias y te pido por mi madre.

Siempre está ahí cuidándome y enseñándome lo mejor. Se esfuerza mucho.

A veces soy desobediente o le hablo mal.

Lo siento, Señor, te pido perdón. También se lo pediré a ella. Me portaré mejor.

Haz que estemos siempre unidos, nos queramos y nos perdonemos unos a otros.

Amén.

***Oración por mamá y por el futuro hermanito:***

María, Mamá del Cielo, protege y cuida a mamá y a mi hermanito que está protegido dentro de ella.

Tú que llevaste a Jesús niño, dales mucha salud a los dos porque son muy importantes para mi y les quiero mucho.

Amén.

***Mis hermanos son para toda la vida:***

Señor, te doy gracias por mis hermanos.

Que seamos los mejores amigos y compañeros siempre.

Que nos pidamos perdón cuando discutamos.

Protege nuestro corazón de la falta de amor y del enfado.

Amén.

*El Papa Francisco ha dado a los niños una tarea: "Queridos niños, vuestra alegría debe ser compartida con todos pero de forma especial "con los abuelos". Hablad mucho con ellos, preguntarles cosas, escuchadles, porque ellos tienen "la memoria de la historia, la experiencia de la vida". Y esto será un gran regalo que "os ayudará en vuestro camino".*

## *Oración por mis abuelos:*

"Querido Señor, te doy gracias por mis abuelos, ellos me quieren, se preocupan por mi y me enseñan muchas cosas.

Te pido que les des mucha salud y que sean felices siempre.

Que descubran que tú, Jesús, estás siempre con ellos y nos les abandonas nunca.

Te prometo quererles mucho, escucharles, contarles mis cosas, no faltarles el respeto, y no dejarlos solos o tristes.

Amén.

**_Oración para cuando haya mal ambiente en casa:_**

*Los Ángeles de Belén anunciaron el nacimiento de Jesús a los pastores y les llenaron con la alegría y paz del Cielo.*

**Á**ngeles de Belén dadnos vuestra alegría,
Ángeles de Belén, acompañadnos en este día.

"Es importante tener amigos en quien poder confiar, pero es esencial tener confianza en el Señor, que nunca te falla."

Papa Francisco

***Oración por mis amigos:***

Querido Señor, hay varios amigos por los que tengo un cariño especial.

Te pido Padre bueno por ellos, guíalos y protégelos siempre y en todas partes, hasta que lleguen a la seguridad del Cielo.

Amén.

## )ración por mi mascota:

*an Antonio Abad o también llamado S. Antón*
*s el patrón de los animales.*
*u Fiesta es el 17 de Enero y en ese día puedes*
*evar tu mascota para que te la bendiga un*
*acerdote.*

Señor, Tú que diste a San Antón el amor a
os animales, haz que imite su ejemplo con
ni mascota y la quiera como criatura tuya
que es y que Tú has puesto a mi cuidado.

Protégela de todo daño y enfermedad, yo
también la cuidaré con tu ayuda.

Dame el don de la alegría y haz que
a confianza y tranquilidad que tiene
ni mascota conmigo me sirva para
ser cariñoso con ella y con las demás
personas, para hacer un mundo mejor.

Amén.

# ORACIONES PARA LOS PAPÁS

*El Papa Francisco ha dicho: ¿Qué puede ser más bello para un padre y una madre que bendecir a sus hijos al comienzo de la jornada y cuando concluye? "Haced en su frente la señal de la cruz como el día del Bautismo", dijo. "¿No es esta la oración más sencilla de los padres para con sus hijos?", prosiguió. "Bendecirlos, es decir, encomendarles al Señor, –como hicieron Elcaná y Ana, José y María– para que sea él su protección y su apoyo en los distintos momentos del día"*

### *Oración por los hijos:*

Que el Señor te proteja y te haga crecer en su amor para que vivas de manera digna tu vocación.

## ración para los esposos:

Bendito seas, Padre,
orque nos has
sistido con amor en
as circunstancias
legres y
istes de la
ida; ayúdanos
on tu gracia
permanecer
iempre fieles en el amor mutuo, para ser
uenos testigos de nuestra alianza en
risto el Señor.

"Las tres palabras más importantes para vivir en familia son Permiso, Gracias y Perdón".

Papa Francisco

**Permiso:** *siempre preguntar al marido o a la mujer: "¿qué te parece?, ¿te parece que hagamos esto? Nunca atropellar. Permiso. Ser delicados, respetuosos y pacientes con los demás, incluso con los que nos une una fuerte intimidad. Como Jesús, nuestra actitud debe ser la de quien está a la puerta y llama.*

*La segunda palabra: ser agradecidos. Cuántas veces el marido le tiene que decir a la mujer* ***"gracias"****.*

*O la esposa le tiene que decir al marido "**gracias**". Agradecerse mutuamente. Porque el sacramento del matrimonio se lo confieren los esposos, el uno a otro. Y esta relación sacramental se mantiene con este sentimiento de gratitud. "**Gracias**".*

*Y la tercera palabra es "**perdón**", que es una palabra muy difícil de pronunciar.*

*En el matrimonio –o el marido o la mujer– siempre tiene alguna equivocación. Saber reconocerla y pedir disculpas, pedir perdón, hace mucho bien. El Perdón es el mejor remedio para impedir que nuestra convivencia se agriete y llegue a romperse. Siempre hay en la vida matrimonial problemas o discusiones. Es habitual y sucede que el esposo o la esposa discutan, alcen la voz, se peleen. Y a veces vuelen los platos. Pero no se asusten cuando sucede esto. Les doy un consejo: nunca terminen el día sin hacer la paz. El Señor nos lo enseña en el Padrenuestro, aceptar nuestro error y proponer corregirnos es el primer paso para la sanación. Esposos, no terminen nunca el día sin reconciliarse."*

*Recuerden estas tres palabras, que ayudarán tanto a la vida matrimonial: **permiso, gracias, perdón**.*

*13/Mayo/2015*

## Ir a Misa en familia:

*Es hermoso ir a misa el domingo y recibir la Eucaristía que es fuente de la vida.*

*Cuánto bien nos hace pensar que María y José enseñaron a Jesús a decir sus oraciones. Y también nos hace bien saber que durante la jornada rezaban juntos; y que el sábado iban juntos a la sinagoga para escuchar las Escrituras de la Ley y los Profetas, y alabar al Señor con todo el pueblo.*

*s tan importante ir a misa el domingo, no sólo ara rezar, sino para recibir la comunión, la ucaristía que es un don muy grande: es el Cuerpo 'e Jesucristo que nos salva, nos perdona, este Pan ue nos une al Padre. ¡Es hermoso hacer esto!*

*'todos los domingos vamos a misa porque es el ía de la resurrección del Señor, por eso el domingo s tan importante para nosotros.*

*/Feb/2014–27/Dic/2015*

***Oración por mi familia y para rezarla juntos:***

Jesús, María y José en vosotros contemplamos el esplendor del verdadero amor, a vosotros, confiados, nos dirigimos.

Santa Familia de Nazaret, que nunca más haya en las familias episodios de violencia, de cerrazón y división; que quien haya sido herido o escandalizado sea pronto consolado y curado.

Jesús, María y José, escuchad, acoged nuestra súplica.

*29/Diciembre/2013*

# LOS SANTOS DE MI FAMILIA

## MI FAMILIA REZA

Las oraciones favoritas de mi familia:

Las fiestas y devociones de mi familia:

Los santos favoritos de mi familia:

Mi Santo es:

Y su fiesta es:

# ORACIONES SENCILLAS CON LOS SANTOS

# TODOS LOS SANTOS

*Fiesta: 1 de Noviembre*

"Recordamos así, no sólo quienes han sido proclamados santos a lo largo de la historia.

También a tantos hermanos nuestros que han vivido su vida cristiana en plenitud de fe y de amor, en medio de una vida sencilla y oculta.

Seguramente, entre ellos hay muchos de nuestros familiares, amigos y conocidos."

"Los santos son realmente felices. Han encontrado el secreto de esa felicidad auténtica en el amor de Dios. Por eso, a los santos se les llama bienaventurados".

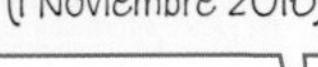

# ORAR CON SAN FRANCISCO DE ASÍS

**Fiesta: 4 de Octubre**

*Francisco, nacido en Italia, fue un joven que gustaba de las fiestas y la música y no le atraían ni los negocios de su padre ni estudiar. Combatió por su ciudad, Asís, contra Perugia y quería llegar a ser un caballero. En un sueño Dios le llamó a servirle y decidió seguir los pasos de Jesús, desde la pobreza y el amor a los demás.*

***Hazme Instrumento de tu paz:***

Señor, hazme instrumento de tu paz.
Donde hay odio, que yo lleve el Amor.
Donde hay ofensa, que yo lleve el Perdón.
Donde hay discordia, que yo lleve la Unión.
Donde hay duda, que yo lleve la Fé.
Donde hay error, que yo lleve la Verdad.
Donde hay desesperación, que yo lleve la Esperanza.
Donde hay tristeza, que yo lleve la Alegría.
Donde está la oscuridad, que yo lleve la Luz.
Maestro, haz que yo no busque tanto:
Ser consolado, sino consolar.
Ser comprendido, sino comprender.
Ser amado, sino amar.

Porque: es dando, que se recibe.
Perdonando, que se es perdonado.
Muriendo, que se resucita a la Vida Eterna.

# ORAR CON SANTA TERESITA DEL NIÑO JESÚS

**Fiesta: 1 de Octubre. Patrona de las misiones**

*Nacida en Francia, fue la menor de nueve hermanos y se hizo monja Carmelita.*
*Sus padres Luis y Celia son Santos también.*

## Ofrecimiento de la jornada:

Dios mío, te ofrezco todas las acciones que hoy realice por las intenciones del Sagrado Corazón y para su gloria.

Quiero santificar los latidos de mi corazón, mis pensamientos y mis obras más sencillas, uniéndolo todo a sus méritos infinitos, y reparar mis faltas arrojándolas al horno ardiente de su amor misericordioso.

Dios mío, te pido para mí y para todos mis seres queridos la gracia de cumplir, con toda perfección, tu voluntad y aceptar, por tu amor, las alegrías y los sufrimientos de esta vida pasajera, para que un día podamos reunirnos en el Cielo por toda la eternidad.

Amén.

# ORAR CON SANTA TERESA DE CALCUTA

**Fiesta: 5 de Septiembre**

*Nacida en Albania, sintió la llamada de Jesús y junto a varias jóvenes fundó las Misioneras de la Caridad para servir a Jesús y cuidar a los más pobres de entre los pobres, que necesitan ayuda, amor y conocer a Jesús. Vivió en la India. Ella compuso esta oración:*

## ¿Quieres mis manos?:

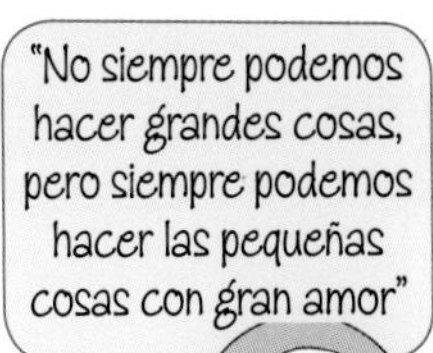

"No siempre podemos hacer grandes cosas, pero siempre podemos hacer las pequeñas cosas con gran amor"


Señor ¿quieres mis manos para pasar este día ayudando a los pobres y enfermos que lo necesitan?
Señor, hoy te doy mis manos.
Señor, ¿quieres mis pies para pasar este día visitando a aquellos que tienen necesidad de un amigo?
Señor, hoy te doy mis pies.
Señor, ¿quieres mi voz para pasar este día hablando con aquellos que necesitan palabras de amor?
Señor, hoy te doy mi voz.

Señor, ¿quieres mi corazón para pasar este día amando a cada hombre sólo porque es un hombre?
Señor, hoy te doy mi corazón.

# ORAR CON SAN JUAN DIEGO

**Fiesta: 9 de Diciembre**

*Nacido en México, una mañana temprano iba de camino y escuchó el canto de un pájaro que le anunció la aparición de la Virgen María en el cerro del Tepeyac. Ella se le apareció cuatro veces entre el 9 y el 12 de Diciembre y le dio varios mensajes para el mundo. Nuestra Señora de Guadalupe le enseñó esta oración:*

## *Para la confianza y el abandono en María*

La Virgen María es tu madre y cuando le rezas o la visitas en un santuario, ella te mira con mucho amor. Te da la fuerza y la alegría y como una caricia te dice al oído:

"Escucha y llévalo en el corazón, hijo mío el más pequeño: Es nada lo que te asusta y aflige.

Que la preocupación no te nuble el rostro ni el corazón.

No tengas miedo, ni de este mal ni de ninguna otra enfermedad y angustia.

¿No estoy yo aquí, que soy tu madre? ¿No estás bajo mi protección? ¿No soy yo la fuente de tu alegría? ¿Acaso no estás en el pliegue de mi manto, en mis brazos cruzados? ¿Qué más necesitas?

Que no te inquiete ni te apene cosa alguna."

*Y sabes que nos dice el Papa Francisco?:*

"Cuántas veces estoy con miedo de algún problema o que ha sucedido algo feo y uno no sabe cómo reaccionar, y le rezo, me gusta repetirme a mí mismo: No tengas miedo, ¿acaso no estoy yo aquí que soy tu Madre?"

Son palabras de Ella: "No tengas miedo". Es lo que más me dice María.

# ORAR CON SAN PEDRO

**Fiesta: 29 de Junio**

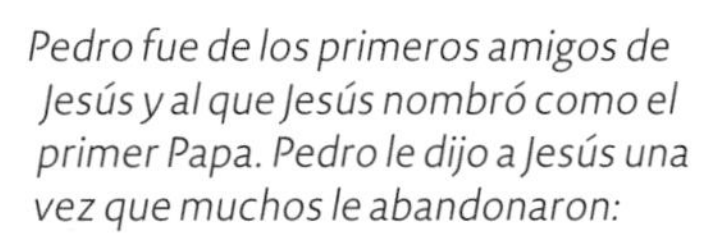

*Pedro fue de los primeros amigos de Jesús y al que Jesús nombró como el primer Papa. Pedro le dijo a Jesús una vez que muchos le abandonaron:*

"Señor, ¿a quién iremos? Sólo Tú tienes palabras de Vida Eterna."

*Y en otra ocasión le pidió perdón a Jesús diciendo:*

Señor, Tú lo sabes todo, Tú sabes que te quiero".

*Estas frases puedes repetirlas como oraciones al Señor.*

# ORAR CON SAN JUAN PABLO II

**Fiesta: 22 de Octubre**

*Nacido en Polonia fue el Papa Juan Pablo II y un día dijo a los jóvenes: "Recibid esta oración que me enseñó mi padre y sed fieles a ella". Su padre se la enseñó cuando se dio cuenta de que Karol, siendo monaguillo, no tomaba parte en la Santa Misa con la debida atención. Desde entonces la rezó todos los días hasta el final de su vida.*

## *"Espíritu Santo", te pido:*

El don de sabiduría para conocerte mejor a Ti y tus perfecciones divinas,
- el don de entendimiento para comprender mejor el espíritu de los misterios de la santa fe,
- el don de ciencia, para seguir en mi vida los principios de esta fe,
- el don de consejo, para buscar en todo tu consejo y en ti siempre encontrarlo,
- el don de fortaleza, para que ningún temor ni consideraciones terrenales puedan separarme de ti,
- el don de piedad, para servir siempre a tu Majestad con amor filial,
- el don de temor de Dios, para que tema el pecado, que tanto te ofende. Amén.

# ORAR CON SAN IGNACIO DE LOYOLA

**Fiesta: 31 de Julio**

*Nacido en Guipúzcoa, fue noble y militar. Se convirtió al Señor y fundó la Compañía de Jesús.*
*Esta oración la recomendaba para después de comulgar:*

***Después de la Comunión Eucarística:***

Alma de Cristo, santifícame.

Cuerpo de Cristo, sálvame.

Sangre de Cristo, embriágame.

Agua del costado de Cristo, lávame.

Pasión de Cristo, confórtame.

Oh buen Jesús, escúchame.

Dentro de tus llagas, escóndeme.

No permitas que me aparte de ti.

Del maligno enemigo, defiéndeme.
En la hora de mi muerte, llámame y mándame ir a ti, para que con tus santos te alabe, por los siglos de los siglos.

Amén.

# ORAR CON EL NOMBRE DE JESÚS

**Fiesta: 3 de Enero**

*El que invocare el nombre del Señor, se salvará (Rm 10,13).*

Papa Francisco: "Él es el Salvador; cuando uno dice "Jesús" es precisamente Él quien hace milagros. Y este nombre nos acompaña en el corazón". Y es el Espíritu Santo quien nos impulsa a "hablar de Jesús, a confiar en Jesús".

Y es Jesús quien está a nuestro lado en el camino de nuestra vida siempre".

Recuerdo a un hombre, padre de ocho hijos, que trabaja en el arzobispado de Buenos Aires. Antes de salir a hacer sus tareas susurraba: "¡Jesús!".

Un día le pregunté: "¿Por qué dices siempre Jesús?"

Decía este hombre humilde, "Cuando digo "Jesús", me siento fuerte, siento que puedo trabajar, porque yo sé que Él está a mi lado, que Él me protege".

Y su testimonio me ha hecho mucho bien.

El nombre de Jesús: ¡no hay otro nombre!

Quisiera que pensáramos en esto: Confío en el nombre de Jesús; rezo: " ¡Jesús, Jesús!

Oraciones del Nombre de Jesús:

Jesús, Jesús.
Jesús, ten misericordia de mi.
Jesús, confío en Ti.
Jesús, sálvame.
Jesús, Señor mío y Dios mío.
Ven, Jesús, ayúdame.
Jesús, ven, acompáñame.

# ORAR CON SAN FRANCISCO JAVIER

***Fiesta: 3 de Diciembre. Patrono de las Misiones***

*Nacido en 1506, en el castillo de Xavier en Navarra.*

### *Para leer y meditar:*

Su padre murió cuando él era todavía muy niño, así que tuvo que aprender a hacerse fuerte desde pequeño. Cuando sus hermanos se fueron a la guerra, Francisco ayudaba a su madre, estudiaba y rezaba al Cristo de la capilla por su familia.

Acabada la guerra, se fue con 19 años a la Universidad de

París para estudiar. Sacaba muy buenas notas y era muy buen deportista. Estaba seguro que algún día conseguiría un empleo estupendo y ganaría mucho dinero y sobre todo, muchos honores. Allí conoció a Ignacio de Loyola, que le ayudaba en los momentos difíciles. Se hicieron amigos.

Ignacio le fue acercando a Jesús y le enseñaba qué poco valían las cosas materiales y qué feliz sería ayudando a los demás y trabajando para el Señor.

Ignacio y Javier junto a otros amigos decidieron hacerse sacerdotes y fundaron la Compañía de Jesús.

El rey de Portugal, quería misioneros para sus territorios en la India y se lo pidió a Ignacio. Envió a Francisco Javier, que soñaba con ser misionero y trabajar mucho para hablar de Dios a todas las gentes que no le conocían.

Viajó de Roma a Portugal y de allí a la India. Predicaba y servía a todos hablando de cómo Dios nos ama y quiere que nos queramos y ayudemos siguiendo a Jesús. Para enseñar a niños y mayores ,hacía canciones con letras inspiradas en la Fe Cristiana.

Tuvo tal éxito que se cantaban en calles o en las casas.

Viajó más allá de Malasia llegando a Japón para seguir enseñando y bautizando.

unca le parecía que había trabajado astante para hablar de Dios a todos. Decía n una carta: "Señor, estoy aquí en la India, redicando tu nombre .Pero ¡somos tan ocos los misioneros! Hay días en que se ne cansan los brazos de tanto bautizar... y ne quedo sin voz de tanto repetir el credo y os mandamientos en la lengua de ellos.

Señor me acuerdo de los estudiantes que solo piensan en fama y dinero y decirles: ¡Cuántos miles de paganos se harían cristianos si ellos, dejándolo todo, se vinieran ¡¡Qué felices serían ahora y al morir diciendo: no he buscado mis intereses, sino los tuyos, Jesús!".

# ORAR CON SAN VICENTE D PAÚL POR LOS MAS POBRE

**_Fiesta: 27 de Septiembre_**

*Nacido en Francia en 1580.*

Ayudaba de niño a sus padres en el trabajo del campo.

Después de un tiempo como sacerdote, prometió al Señor dedicar toda su vida a socorrer a los más pobres.

Como era de carácter duro y seco, le pidió a Dios que le ayudara a cambiar y rezando y esforzándose llegó a ser bondadoso y agradable. Decían de él: "Dios mío, si Vicente de Paúl es tan amable y dulce ¿cómo serás tú?"

Vicente quería decir a todos que Dios les quiere con la ternura que un papá quiere a su hijo pequeño.

Descubrió que los campesinos no sabían nada de Jesús y la fe cristiana y nadie les enseñaba.

Consiguió un grupo de sacerdotes amigos, y empezó a predicar misiones por

›s pueblos y la gente acudía en masa a
scuchar los sermones y se confesaban y
ambiaban su vida.

'or eso fundó la Comunidad de Padres
'aúles y las Hijas de la Caridad con Luisa de
/larillac, para instruir, ayudar a las personas
nás necesitadas y anunciarles el Evangelio.

.o que más le conmovía era que la gente no
ımaba a Dios.

:xclamaba: "No es suficiente que yo ame a
)ios. Es necesario hacer que mis prójimos
o amen también".

/ decía también: "Dios ama a los pobres y
›or tanto a quienes aman a los pobres".

***Oración:***

Señor, dame la amabilidad y amor a los
pobres que tenía S. Vicente de Paúl y hazme
experimentar tu gran amor de Padre por mi.

Amén.

# ORAR Y MEDITAR CON SANTA TERESA DE JESÚS

**_Fiesta: 15 de Octubre_**

*Nacida en Ávila, Teresa fue una religiosa, fundadora d las Carmelitas Descalzas, mística y escritora.*

Imagina al mismo Jesús junto a ti y mira con qu amor y humildad te está enseñando; y créeme, mientras puedas no estés sin tan buen amigo.

Si te acostumbras a invitarle junto a ti, y Él ve qu lo haces con amor y que intentas contentarle, no le podrás –como dicen– apartar de ti; no te faltará nunca, te ayudará en todos tus trabajos, le tendrás en todas partes ¿ Piensas que es poc un amigo así a tu lado?

No te pido mas que le mires, porque "¿Quién te impide volver los ojos del alma a este Señor –aunque sea un instante, si no puedes hacer mas–? ".

"Orar es tratar de amistad a solas con quien sabemos nos ama"

"Los Santos no son superhombres. Son personas que tienen el amor de Dios en su corazón y comunican esta alegría a los demás"

## ORAR CON SAN TARSICIO

**Fiesta: 26 de abril. Patrón de los monaguillos**

*San Tarsicio era un acólito o ayudante de los sacerdotes en Roma.*

Después de participar en una Santa Misa en las Catacumbas de San Calixto fue encargado por el obispo para llevar la Sagrada Eucaristía a los cristianos que estaban en la cárcel, prisioneros por proclamar su fe en Jesucristo. Por la calle se encontró con un grupo de jóvenes paganos que le preguntaron qué llevaba allí bajo su manto. El no les quiso decir, y los otros lo atacaron para robarle la Eucaristía. Cuando estaba siendo apedreado llegó un soldado cristiano y alejó a los atacantes. Tarsicio le encomendó que les llevara la Sagrada Comunión a los encarcelados, y murió contento de haber podido dar su vida por defender las Sagradas formas donde está e Cuerpo y la Sangre de Cristo.

***Oración:***

**S**an Tarsicio: mártir de la Eucaristía, pídele a Dios que todos y en todas partes demostremos un gran amor y un infinito respeto al Santísimo Sacramento donde está nuestro amigo Jesús, con su Cuerpo, su Sangre, su Alma y su Divinidad.

# ORAR CON BEATO PEDRO JORGE FRASSATI

***Fiesta: 4 de Julio***

*Nacido en Turín, Italia.*

Alegre, puro, entregado a la oración. Deportista, jugaba bien al Fútbol –quería ser delantero en la "Juventus" de Turín– y también practicaba el ciclismo. Amaba la montaña (fue un gran alpinista) y nadar en el mar.
Le costaba estudiar pero sacaba el curso adelante con esfuerzo y constancia.

ecesitaba comulgar con
ecuencia y lo hacía cada
ía, quitándose media hora
e sueño. Joven y rico, eligió
abajar duro y ayudar a los
emás, empezando por los
nás pobres y enfermos.
orprendía a la gente
evando por las calles un
arro con la mudanza de
ente pobre que buscaba
na casa. Visitaba a los
ijos de los obreros para
nseñarles catequesis.
e iba a pie para dar el dinero
lel tranvía al que necesitara
ına limosna.
ara Pedro Jorge, visitar a los pobres es
visitar a Jesús!

***Oración:***

**B**eato Pedro Jorge, el mejor hijo y hermano, amigo de los que no tienen amigos, el más cristiano de los compañeros, ayuda de los necesitados, protector de los pobres, consuelo de los enfermos, atleta del Reino de Dios, conquistador de las cumbres de la vida, defensor de la verdad y la virtud, oponente de toda injusticia, devoto hijo de la Virgen, adorador de la Eucaristía,

apóstol de la oración y el ayuno, guía para un profundo amor a Jesús, diligente en el trabajo y en el estudio, fuerte en mantener la castidad, alegre en todas las circunstancias de la vida, callado en el dolo y sufrimiento, ejemplo de desprendimientc

Ayúdame en mis necesidades y que pueda imitar tu generosidad con los más pobres y enfermos.

Amén.

# ORAR CON LOS SANTOS JACINTA Y FRANCISCO

**Fiesta: 20 de Febrero**

### Pastorcitos de Fátima

*Los hermanos Jacinta con siete años y Francisco con nueve, reciben las apariciones de la Virgen María en Portugal en 1917; junto a su prima Lucía.*

Jacinta era guapa y muy activa, tenía una gracia natural al moverse y le gustaba bailar. A veces era cabezota y ponía mala cara cuando no conseguía lo que quería. Las flores le atraían y le hacía guirnaldas a su prima Lucía. Quería mucho a Jesús Nuestro Señor y a los cinco años lloró intensamente cuando oyó el relato de su Pasión; y

rometió nunca ofenderle ni pecar
más. Tenía muchos amigos
ero sobre todo quería
su prima Lucía. Sus
vejas eran también
us amigas. Les ponía
ombres y cogía a
os corderos en su
egazo y los llevaba
hombros para que
o se cansaran.
us días eran
elices y llenos
de juegos,
disfrutando con
su hermano y su
prima en la naturaleza. Llamaban al sol
"La Lámpara de Nuestra Señora" y a las
estrellas "las linternas de los Ángeles".
Intentaban contarlas al anochecer y
jugaban a hacer ecos con sus voces.
Lucía contaba que "los juegos preferidos
eran, casi siempre, jugar a las chinas o a
los botones. El juego que más gustaba a
Francisco era el de las cartas: la brisca".
Francisco, de nueve años era un chico bien
parecido al que le encantaba jugar y estar
con los amigos. Era un pacificador en las
riñas pero también era travieso y valiente.
Le encantaban los animales y jugaba con
lagartos y serpientes que a veces llevaba
a casa con gran disgusto de su madre. Una

vez dio todo su dinero, una moneda para que un amigo suyo liberara un pajarito capturado. Le gustaba tocar la flauta. Rezaban el Rosario cada día después de comer. Ver y escuchar a la Virgen María ("tan bella y tan buena") les impulsó a rezar con más devoción el rosario y a ofrecer pequeños sacrificios por la conversión de los pecadores, aquellos que aún no conocen el amor de Dios. A veces ayunaban o aguantaban la sed sin quejarse. La Virgen María les decía:

Sacrificaos por los pecadores y decid muchas veces, sobre todo cuando hagáis algún sacrificio: "Oh Jesús, por Vuestro amor, por la conversión de los pecadores y en reparación por los pecados cometidos contra el Inmaculado Corazón de María".

Y también:

"Rezad el Rosario todos los días para alcanzar la paz del mundo".

Después de cada misterio decid:

"Oh Jesús mío, perdona nuestros pecados, líbranos del fuego del infierno, lleva todas las almas al cielo, especialmente a las más necesitadas de Tú misericordia".

A Francisco le impresionaron mucho las palabras del Ángel en la tercera aparición: "Consolad a vuestro Dios".

esde entonces, él deseaba "consolar a
sús y también a María", que le habían
arecido tan tristes por los pecados de las
ersonas. Francisco le dijo a Lucía:

¿Nuestro Señor aún estará triste? Tengo
anta pena de que Él esté así. Le ofrezco
uanto sacrificio yo puedo"

***Oración:***

Oración que les enseñó el Ángel de la
Paz,("era una figura de un joven de unos 15
años, de una gran belleza –dijo Lucía):

"**D**ios mío! Yo creo, adoro, espero y os
amo. Os pido perdón por los que no creen,
no adoran, no esperan y no os aman".

# ORAR Y MEDITAR CON SANTO DOMINGO SAVIO

**Fiesta: 6 de mayo**

*Es el primer estudiante de un colegio declarado santo.*

Nació en Italia. De padre herrero y madre costurera, muy buenos cristianos ,querían una buena educación y de fe religiosa para sus hijos.

El día de su primera comunión, hizo estos "propósitos":

"Primero, me confesaré con frecuencia y comulgaré todas las veces que pueda; segundo, santificaré los días de fiesta; tercero, mis amigos serán Jesús y María; cuarto, antes morir que pecar".

A los doce años su padre se lo presentó a Don Bosco. Y así entró Savio en su colegio.

Un día en una charla D. Bosco decía a sus alumnos que:

"Primero, es voluntad de Dios que todos nos hagamos santos; segundo, que como Dios no manda cosas imposibles y, además, ayuda, es fácil hacerse santo, aunque no sea de altar;

ercero, que hay grandes premios para quien
e hace santo".

Domingo decidió hacerse santo. Y lo primero
ue hizo fue escoger un director espiritual y
onfesor fijo: D. Bosco.

ste le enseñó que ser santo consiste en hacer
a voluntad de Dios y en servirle con mucha
legría; ¿"Cómo se hace esto"– preguntaba
Domingo?

D. Bosco le dijo:

°) Estar siempre muy alegres, lo que preocupa y quita la paz no viene de Dios .

2°) Atención en la escuela, entrega al estudio, entrega a la piedad. Participar siempre en los recreos y juegos con los compañeros, porque también el recreo puede y debe santificarse.

3°) Haz todo el bien que puedas a tus compañeros y paciencia con sus defectos".

Tenía su geniecito: un día que un compañero
e gastaba bromas muy pesadas, Domingo le
dio arañazos que le hicieron sangre. Quedó tan
apenado, que se propuso refrenarse a costa de
cualquier esfuerzo, y lo logró tan bien, que otro
día respondió a un bofetón de otro compañero
iracundo con estas palabras: "mira, podía hacer
otro tanto contigo, pero no lo hago; ahora bien,
no lo hagas con otros compañeros, que te
podría ir muy mal".

Tuvo su pequeña crisis. La lucha y las dificultades naturales, la misma edad, le infundieron cierta melancolía. Su sabio direct le advirtió que, "en medio de la tristeza y la preocupación, no se puede oír la voz de Dios". Tan bien comprendió la lección, que se consagró en alma y cuerpo al apostolado, tant en el internado como en el colegio, del que era catequista. Dice Don Bosco que "Savio llevab más almas al confesionario con sus recreos qu los predicadores con sus sermones".

Un día dos compañeros del instituto se enfadaron tanto el uno contra el otro, que se desafiaron "a muerte": las armas eran piedras, y el campo, una explanada; la hora, una en que nadie pudiera verlos. Domingo lo supo, los acompañó al "campo del honor" (¡!) y allí, a riesgo de su propia salud, logró hacerlos amigos y que se confesaran. Presentándoles su pequeño crucifijo, les dijo: "Antes de empezar, mirad a Cristo y decid: "Jesucristo, que era inocente, murió perdonando a sus verdugos; yo soy un pecador y voy a ofender a Cristo tratando de vengarme deliberadamente". Después podéis empezar arrojando vuestra primera piedra contra mí". Los dos chicos, más grandes que él, quedaron avergonzados de lo que estaban haciendo, y obedecieron admirados a Domingo.

Savio amó el deporte y practicó el canto. Tenía una voz muy bonita.

La caridad entre sus compañeros la practicó de mil maneras: ayudándoles en los estudios y trabajos, avisándoles de sus defectos e irregularidades para evitarles castigos, socorriéndoles en las necesidades, dándoles buenos consejos, consolándoles, intercediendo por ellos y hasta prestándose a sufrir castigos por ellos. En un invierno muy frío, regaló a un compañero sus guantes, aunque él mismo tenía sabañones.

Durante una epidemia de cólera, que azotó la ciudad, cuidó con otros compañeros a los enfermos contagiosos.

No podía oír hablar mal y mucho menos una blasfemia sin repararla con una oración, y frecuentemente avisando al mal hablado; y lo hacía con tanta gracia y cariño, que, lejos de enfadarse con él, se esforzaban por mejorar.

Cierta vez que malos compañeros llevaron una sucia revista y los chicos se entretenían mirándola, Savio se la arrancó de las manos y la hizo mil pedazos, afeándoles su malsana curiosidad. Otra vez que un portavoz de una secta trataba de sembrar sus malas enseñanzas entre los chicos, Savio se enfrentó a él, y como no se alejaba, le quitó todos los oyentes. No tenía miedo; era valiente defendiendo la fe, en la práctica de la oración y en el cumplimiento de los deberes cristianos.

Su amor a Jesús Sacramentado: apenas despertaba, su corazón volaba al sagrario.

Oía la santa misa como si asistiera a la última Cena y a la muerte del Señor en el Calvario.

Era feliz cuando podía ayudar en misa. Durante el día, y especialmente en los recreos, hacía frecuentes visitas "al Prisionero del altar", ya solo, ya acompañado de muchos compañeros.

Amaba a la Virgen Maria como su madre del Cielo. Quería muchísimo al Papa, representante de Jesús en la tierra.

Oraba por él y hablaba de él y lo que hacía.

Organizó un grupo, la Compañía de la Inmaculada que además de rezar, ayudaba a ɔn Bosco en trabajos como limpiar los pisos ɘl cuidado de los muchachos difíciles: los disciplinados, los fáciles a decir palabrotas y ɘgarse.

yudaban a los recién llegados a pasar egremente los primeros días, mientras no ɔnocían a nadie, ni sabían los juegos, y sentían ostalgia.

n una ocasión, Domingo ve a un chico poyado en una columna y que está triste solo. Se le acerca. "¿Cómo te llamas?", ɘ preguntó. Francisco fue la respuesta. Y omenzaron a charlar.

'or ese encuentro, surgió una amistad 'uradera.

Una vez le preguntó a Domingo cómo podría hacerse santo en el Oratorio, este le dijo:

Nosotros aquí hacemos consistir la santidad en estar siempre muy alegres.

Solía decir desde el corazón: "Quizás no pued hacer grandes cosas, pero seguro que puedo hacer las más pequeñas para la mayor gloria de Dios". Domingo dejaba encantados a sus compañeros, les contaba historias que todos escuchaban.

Cierta vez Domingo le pidió permiso a Don Bosco para ir a casa: "Mi madre está enferma y la Virgen la quiere curar". Don Bosco le preguntó de quién había recibido noticias y Domingo contestó que de nadie, pero que él lo sabía.

El sacerdote, que ya conocía de sus dones, le dio dinero para el viaje. La mamá de Domingo estaba embarazada, pero sufriendo con fuertes dolores. Cuando llegó, la abrazó fuertemente, la besó y luego obedeció a su madre, quien le había pedido que fuera con unos vecinos.

Cuando llegó el doctor vio que su madre estaba repuesta de salud y todos le vieron al cuello una cinta verde que estaba unida a una seda doblada y cosida como un escapulario.

La sorprendente visita de Domingo a su madre

ıe el 12 de septiembre de 1856, nacimiento e su hermana Catalina.

Domingo dijo a su madre "Guarda y presta ese scapulario a las mujeres que lo necesiten".

Así se hizo y muchas afirmaban haber obtenido racias de Dios con la ayuda del escapulario de a Virgen.

En los tres años de Bachillerato Domingo ganó por votación unánime de 800 alumnos el premio de compañerismo cada año, y su antidad y simpatía fueron tan grandes que por muchos años su recuerdo estuvo vivo y vibrante entre todos sus compañeros.

Antes de morir, dijo: "¡Qué cosa tan hermosa veo!". (en un sueño reveló a D. Bosco que veía a la Virgen María).

Partió a la Casa del Padre un 9 de marzo de 1857 con catorce años edad.

¡Qué cosa tan hermosa veo!

# ORAR CON EL BEATO CARLO ACUTIS (1991-2006)

*Fiesta: 12 de octubre*

Carlo nació el 3 de mayo de 1991, era italiano. Vivió la mayor parte de su vida en Milán.

Apasionado por la informática y los animales, le encantaba comer helados y Nutella. En el colegio disfrutaba haciendo reír a sus compañeros y a sus profesores, hacía muchas payasadas, pero intentaba portarse bien en clase. Además, muchas chicas estaban enamoradas de él porque era muy guapo. El deporte era una de sus actividades favoritas, se mantenía en forma con el fútbol, el esquí o el ciclismo.

Jugaba con la Playstation y pasaba tiempo con el ordenador, pero entendió-dice su madre-que estas cosas podían hacerte un poco esclavo de ellas y perder el tiempo. Carlo siempre sintió que no podía perder el tiempo así que se impuso a sí mismo jugar a los Videojuegos máximo una hora a la semana.

Como le encantaba comer y era goloso, engordó -prosigue su madre con una sonrisa- y pasó a moderarse, comiendo y disfrutando, pero midiéndose. “De qué sirve ganar mil batallas si no puedes controlarte”, solía decir.

Tenía muchos amigos y era muy hablador. Estaba siempre alegre. Escribió en su diario:

"La tristeza es la mirada que te das a ti mismo. La alegría es la mirada que le das a Dios .La conversión no es otra cosa que levantar la mirada desde abajo hacia lo alto. Basta un simple movimiento de ojos ".

Su prima, Flavia , no recordaba nunca haberlo visto triste. Añade que Carlo amaba a los animales, y uno de sus juegos siendo pequeños era realizar videos tipo "Cortometrajes", donde los animales eran los protagonistas, y Carlo y su prima ponían sus voces.

La primera persona que le habló de Dio fue su niñera polaca Beata. Cuánto más le hablaban de Dios más sentía en su corazón que le quería. Le gustaba mucho hacerle preguntas a su madre sobre Jesús y ella, que no sabía contestar, se puso a estudiar un curso de teología para responder a las muchas preguntas de su hijo. Con 4 añitos le decía a su madre que fuesen juntos a la iglesia:

"Mamá, vamos a entrar a saludar a Jesús y le rezamos una oración". Le gustaba recoger flores en los parques de Milán para llevárselas a la Virgen María. Su familia, aunque católica, no frecuentaba la iglesia.

Gracias a Carlo, su madre se acercó a la fe y se convirtió y no fue la única. Había un empleado del hogar hindú, ımado Rajesh, que se hizo muy amigo de arlo y gracias a esa amistad pidió recibir los ıcramentos. Carlo le decía que si se acercaba Jesús iba a ser más feliz.

ajesh explica ue "Pedí el autismo ristiano porque l me contagió cautivó con u profunda fe, u caridad y su ureza. Siempre e consideré como alguien fuera de lo normal, orque un chico tan joven, tan guapo y rico ıormalmente prefiere llevar una vida distinta".

Los chicos y chicas de su clase querían ser sus amigos porque Carlo hacía sentirse a gusto a cualquiera. No importaba si creían en Dios o no, él siempre les proponía ir a misa juntos.

Carlo también era amigo de los más necesitados. Gastó sus ahorros para comprarle un saco de dormir a un mendigo que veía camino de misa. Y cuando sobraba comida en su casa la guardaba. Por la noche solía llevar comida a quienes vivían en la calle, a veces parte de su propia cena. A los 7 años pidió hacer la Primera Comunión. Monseñor Pasquale Macchi fue quién le dio su primera Eucaristía en el Monasterio de Bernaga, al norte de Milán. Era un sitio muy silencioso, donde no había distracciones y eso era muy importante para Carlo.

### *Su relación con Jesús*

"No hablo con palabras, solo apoyo mi cabeza sobre el pecho de Jesús, como San Juan en la Última Cena", así describía su forma de orar. Cuando uno tiene un amigo muy muy cercano y con quien está a gusto, pasan esas cosas. Os entendéis con sólo miraros y sabéis lo que siente el otro sin decir ni una sola palabra. Eso le pasaba a Carlo con Jesús. Eran muy amigos porque pasaban mucho tiempo juntos, en misa, orando, y cuidando de la familia, los amigos y cualquiera que necesitase ayuda.

:arlo veía a Jesús como el amigo más cercano, le quien sacaba todas las fuerzas para amar nucho.

**"Estar siempre unido a Jesús, ese es mi proyecto de vida"**

Y la manera de estar más cerca de Jesús es ecibiéndole en la Eucaristía. Para Carlo eso era o más maravilloso del mundo. Por eso iba todos os días a misa. Le gustaba llegar antes y salir después para hacer adoración y así pasar más iempo con su amigo Jesús. Recibir la Eucaristía era su fuerza y como a él le gustaba decir: "La Eucaristía es mi autopista hacia el Cielo".

Cuando tenía 11 años fue al Meeting de Rímini, un encuentro católico donde se reúnen decenas de miles de personas. Allí se le ocurrió una gran idea: una exposición sobre los Milagros Eucarísticos.

Carlo amaba la Eucaristía y quería transmitir ese amor a todo el mundo. Decía que era importante que la Eucaristía llegase a todo el mundo para que vieran que el pan y el vino son de verdad el Cuerpo y la Sangre de Cristo. Carlo aseguraba que somos más afortunados que los primeros apóstoles porque para ver a Jesús solo tenemos que entrar en una Iglesia, "Jerusalén está al lado de nuestras casas".

Como le gustaba mucho la informática, y además se le daba muy bien, pensó en que la mejor manera de hacer llegar ese mensaje a la gente era a través de internet. Era un genio de la informática porque, aun siendo muy joven, ya

sabía comprender los libros universitarios y hacía con facilidad programación, diseño de páginas web o edición y montaje de películas.

En los periódicos de los que se ocupaba hacía también la redacción y la maquetación.

Así que decidió crear una página web que recogiese los Milagros Eucarísticos.

Carlo tenía que enviar el mensaje de que Dios está a nuestro lado. Es decir, su mensaje es que la Eucaristía y el Señor están entre nosotros. Y, además, que internet sirve para difundir el Evangelio.

Dedicó mucho tiempo a ese proyecto ¡tres años! Incluso viajó con sus padres por Italia y otros lugares de Europa para hacer fotografías que necesitaba para su página web. Al final recogió muchos Milagros Eucarísticos, 136, ue habían sucedido en 20 países distintos omo Venezuela, Suiza, Austria, Egipto, olonia, España, Italia... Y en cada país explica ada milagro con fotografías y dibujos.

i quieres buscar sobre los Milagros ucarísticos de tu país puedes buscarlo en la ágina web que hizo Carlo:

http://www.miracolieucaristici.org

Tiene hasta un museo virtual! Y un mapa del nundo para que puedas ver los países de cada continente que tienen estos milagros.

Además de su amor por la Eucaristía, Carlo sentía un amor especial por la Virgen María. Decía que era "la única mujer de su vida". Por eso rezaba cada día el Rosario y se interesaba por santuarios Marianos como el de Lourdes y Fátima. También se confesaba mucho porque decía que: "Igual que para viajar en globo hay que descargar peso, también el alma para elevarse al Cielo necesita quitarse de encima esos pequeños pesos que son los pecados veniales".

También tenía una relación continua con su Ángel de la Guarda, decía "Pide continuamente ayuda a tu Ángel de la Guarda que debe convertirse en tu mejor amigo"

Cuando tenía 15 años se planteó ser sacerdote. Pero ese mismo año se puso muy enfermo.

Al principio pensaban que era solo una gripe, pero después descubrieron que tenía un cáncer muy grave. Él sabía que iba a morir y les dijo a sus padres: "Ofrezco al Señor los sufrimientos que tendré que padecer por el Papa y por la Iglesia, para no tener que estar en el Purgatorio y poder ir directo al cielo". Tras recibir la Unción de Enfermos, murió el 12 de octubre de 2006. Antonia, su madre, dice que su hijo está siendo sacerdote desde el cielo.

A su funeral fue tanta gente que no cabían en la Iglesia. Sus padres no conocían a muchos porque vino gente de todas partes a la que Carlo había ayudado sin que nadie lo supiera.

Su madre cuenta que Carlo no entendía por qué los estadios de fútbol estaban llenos de gente y las iglesias vacías. Carlo repetía: "Tienen que ver. Tienen que entender". Y a raíz de su muerte muchos han visto y han entendido. Tanto es así que el 10 de octubre de 2020 ha sido beatificado en Asís. Su cuerpo ha permanecido íntegro, desde su muerte. Eso quiere decir que está casi igual que cuando estaba vivo. ¡Incluso con su chándal y sus deportivas!

Antonia, su madre nos dice:

"Carlo vivía lo ordinario como algo extraordinario. Tenía una vida como la de

otros jóvenes, pero su relación con Jesús la hizo extraordinaria. Carlo vivía esta presencia constante de Dios en su vida, en cada momento. Vivía lo sobrenatural de un modo muy natural. Eso era lo que más impresionaba".

Y añade, "Carlo vivió siempre en la presencia de su ángel de la guarda, de Jesús y de la Virgen María, que fueron los grandes amores de su vida. Su piedad y oración eran algo constante, porque él jugaba al balón o a cualquier cosa, pero siempre estaba esa conexión con Jesús. Él no se desconectaba".

Sin embargo, aunque tenía su mirada siempre dirigida a Dios, "eso automáticamente lo dirigía a mirar a los demás. Era consciente de que cada persona tenía una dignidad infinita", dice su madre.

Carlo vivió sólo 15 años, pero dedicó toda su vida a cuidar de los demás y a dar todo el amor que recibía directamente de Jesús. Como era un chico del Siglo XXI utilizó las tecnologías para difundir el milagro de la Eucaristía. Por eso se le conoce como **"El Influencer de Dios"**.

'ara ser como Carlo no hay que hacer grandes osas, basta con amar de todo corazón a Dios y ejarse amar por Él. Tal y como Carlo les decía sus amigos y te lo dice a ti hoy: "podéis ser antos, lo importante es quererlo".

Carlo era hijo único pero tres años antes de norir le dijo a su madre que volvería a ser madre.

' así fue: en 2010 a sus 44 años, Antonia tuvo a os mellizos Francesca y Michele.

Ellos siempre han escuchado hablar de su nermano y les parece natural tener un santo en a familia. "Son niños muy religiosos y aunque se pelean por ver quien reza el rosario, son muy especiales. Estoy segura que Carlo reza por ellos desde el Cielo", dice su madre.

Andrea Acutis y Antonia Salzano junto a sus hijos mellizos durante la ceremonia de Beatificación.

Para beatificarle, una de las cosas que se necesitaba es que hubiera un milagro a través de la intercesión de Carlo. Y así fue. El 12 de Octubre de 2010, justo cuatro años después de su muerte, había en Brasil un niño de 6 años, Matheus, que no podía parar de vomitar por una enfermedad muy grave, páncreas anular. Devolvía todo lo que comía y se debilitaba cada vez más.

Matheus, el niño curado por intercesión de Carlo Acutis.

Apenas podía mantenerse en pie. Fue con su abuelo a venerar una reliquia de Carlo a una iglesia (un trocito de su ropa), y le pidió a Carlo "parar de vomitar". Y sucedió más que eso, quedó curado del todo.

Hay una oración al Beato Carlo Acutis que puedes rezar si quieres para pedir ayuda a Carlo y para que Dios haga otro milagro por su intercesión y le hagan Santo:

*ración:*

Oh Dios, nuestro Padre,
acias por habernos dado a Carlo,
odelo de vida para los jóvenes
mensaje de amor para todos.

ú has hecho que se enamore
e tu hijo Jesús,
aciendo de la Eucaristía
u "autopista hacia el cielo".

ú le has dado a María
omo Madre muy amada,
has hecho que con el Rosario
e convirtiese en un cantor de su ternura.

coge su oración por nosotros.

Mira sobre todo a los pobres,
quienes él amó y ayudó.
También a mí concédeme,
or su intercesión,
a gracia que necesito...

Y haz que nuestra alegría sea plena,
conduciendo a Carlo entre los Santos
de tu Santa Iglesia,
a fin de que su sonrisa
siga resplandeciendo para nosotros
para gloria de tu nombre.

Amén.

Rezar un Padre Nuestro, Ave María y Gloria.

Para más información y
materiales sobre Carlo
Acutis escríbenos a:
amigosdecarloacutis@gmail.com
Igualmente para solicitar información sobre la
"Exposición de Milagros Eucarísticos" itinerante.

# ORACIÓN PARA CUANDO VAS DE VIAJE

Salmo 90

***Para rezar:***

El Señor nos quiere tan tiernamente que a sus Ángeles ha dado órdenes para que te guarden en tus caminos; te sostendrán en sus manos para que tu pie no tropiece en la piedra.

Protégenos Señor a nosotros y a quienes encontremos en el viaje.

Amén.

# DIOS TE ESCUCHA, LLÁMALO

Dios te dice "Llámame y te responderé". ¿Qué quiere decir? Pero ¿dónde dice eso? En la Biblia*.

Entonces, ¿cómo puedo llamarle? Toma tu Biblia y léela.

Habla con Él.

(*) Jeremías 33,3.

***El Papa Francisco nos dice sobre la Biblia y cómo leerla:***

La Biblia está ahí para que la toméis en las manos, para que la leáis a menudo, todos lo días, solos o en grupo.

¡Lee atentamente! ¡No te quedes en la superficie como si leyeras un cómic!

Pregúntate: ¿Qué dice esto a mi corazón? ¿Qué me dice Dios a través de estas palabras? ¿Qué debo hacer a cambio?

Sólo así nuestra vida puede cambiar, hacerse grande y bella.

¡Quiero deciros que yo leo mi vieja Biblia! A menudo la tomo aquí, la leo un poco allá, después la dejo y me dejo mirar por el Señor. No soy yo quien Le miro, es Él quien me mira. Sí, Él está ahí. Yo Le dejo poner sus ojos sobre mí. Y siento, sin sentimentalismo siento en lo más profundo de las cosas lo que el Señor me dice.

A veces Él no habla. Yo no siento nada, sólo vacío, vacío, vacío... Pero permanezco paciente y espero. Leo y rezo. Rezo sentado porque me hace mal arrodillarme. A veces incluso me duermo rezando. Pero no pasa nada. Soy como un hijo con su padre y eso es lo importante. ¿Queréis darme una alegría? ¡Leed la Biblia!".

# TELÉFONOS DE AYUDA Y CITAS DE LA BIBLIA

***Aquí tienes una lista de citas de la Biblia a modo de números de teléfono para diferentes momentos de la vida:***

Ejemplos:

***¿Estás desalentado?***

*Marca > Romanos 8,31-39.*

*Primeramente aparece el libro de la Biblia: Romanos (Carta a los Romanos), y luego el Capítulo que puedes leer para esa necesidad que tienes: El capítulo 8 y los versículos (las líneas de texto): del 31 al 39.*

*Abre tu Biblia y en el índice busca el libro de Carta a los Romanos y, una vez abierto, busca el Capítulo 8 y lee los versículos 31-39. Fíjate en las palabras que llaman tu atención. Repítelas y saboréalas, hay quien incluso las memoriza.*

Hazte las preguntas que recomienda el Papa:

"¿Qué dice esto a mi corazón? ¿Qué me dice Dios a través de estas palabras? ¿Qué debo hacer a cambio?".

**¿Te sientes solo o sientes miedo?**

*Marca > el Salmo 23.*

"El Señor es mi pastor, nada me falta; me conduce a fuentes tranquilas y repara mis fuerzas.

Aunque camine por cañadas oscuras nada temo, porque tú vas conmigo: tu bondad y tu misericordia me acompañan todos los días de mi vida...".

**¿Cómo pedir la ayuda de Dios?**

*Marca > Mateo,7,7-12.*

"Pedid y recibiréis; buscad, y encontraréis; llamad y se os abrirá.

Porque todo el que pide recibe, el que busca encuentra, y al que llama le abren".

**¿Necesitas descansar?**

*Marca > Mateo 11, 28-30.*

"Venid a mí los que estáis cansados y agobiados que yo os aliviaré...".

**¿Te falta valor ante una situación?**

*Marca > Josué 1, 5-9.*

"Yo estaré contigo, no te dejaré ni te abandonaré. ¡Ánimo, sé valiente!...".

**¿Estás asustado?**

*Marca > Isaías 41, 10.*

"No temas, pues yo estoy contigo; no te angusties, porque yo soy tu Dios; yo te

ortalezco, te ayudo y te sostengo con mi
iestra victoriosa...".

***uando salgas de casa o vayas de viaje.***

*Marca > Salmo 121.*

El Señor te guarda de todo mal, Él guarda tus
das y venidas, ahora y por siempre...".

***Estás un poco nervioso?***

*Marca > Salmo 4.*

En paz me acuesto y enseguida me
duermo por que sólo Tú, Señor,
me haces dormir tranquilo...".

***uando las personas te fallen***

*Marca > Salmo 27.*

"Si mi padre y mi madre me
abandonan, el Señor me acogerá.
Espera en el Señor, sé valiente, ten ánimo...".

MARÍA NIÑA

***Si crees que nadie te quiere***

*Marca > Juan 15, 9-17.*

"Como el Padre me ama a mí, así os amo yo a
vosotros...".

***Cuando hayas pecado***

*Marca > Salmo 51.*

"Ten piedad de mí, oh Dios, por tu amor, por tu
inmensa compasión borra mi culpa...".

***Cuando estés preocupado***

*Marca > Mateo 6, 25-34.*

"No andéis preocupados pensando qué vais

a comer o a beber para poder vivir... bien sabe vuestro Padre del Cielo que las necesitáis, buscad el Reino de Dios y lo que es propio de él y Dios os dará además, todas esas cosas...".

***Cuando estés en peligro***

*Marca > Salmo 91.*

"Ha ordenado a sus ángeles que te protejan en todos tus caminos...".

***Si estás triste***

*Marca > Salmo 34.*

"Gustad y ved que bueno es el Señor, dichoso el que se acoge a Él, ...cuando uno grita el Señor lo escucha y lo libra de todas sus angustias...".

***Cuando las cosas te salgan mal***

*Marca > Salmo 27.*

"El Señor es mi luz y mi salvación ¿a quien temeré?

El Señor es la defensa de mi vida... mi corazón no tiembla, me siento tranquilo...".

***¿Debo dar limosna?***

*Marca > Proverbios 19,17.*

"Presta a Dios quien se apiada del pobre, él le pagará su buena acción".

## *¿Dónde están quienes han muerto?*

*Marca> Evangelio de S. Juan 14, 1-6.*

...Volveré y os llevaré conmigo, para que onde estoy yo, estéis también vosotros".

## *¿Cómo pedir la ayuda de Dios?*

*Marca > Mateo,7,7-12 .*

Pedid y recibiréis; buscad, y encontraréis; amad y se os abrirá.

Porque todo el que pide recibe, el que busca encuentra, y al que llama le abren".

## *¿Crees que Dios no te quiere?*

*Marca > Isaías 54,10 .*

"Aunque los montes cambien de lugar, no cambiará mi amor por ti, dice el Señor, que está enamorado de ti".

## *¿Qué hago para que me salga bien una cosa?*

*Marca > Salmo 36,5.*

"Encomienda tu camino al Señor, confía en Él, y Él actuará...".

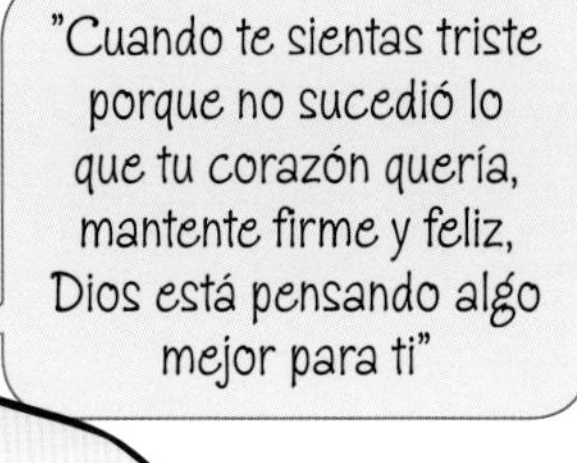

"Cuando te sientas triste porque no sucedió lo que tu corazón quería, mantente firme y feliz, Dios está pensando algo mejor para ti"

# ORACIONES DE LA TRADICIÓN CRISTIANA

# ROSARIO

*El Rosario es la oración que compaña siempre mi vida; es ambién la oración de los sencillos de los santos... es la oración de mi orazón". Sería hermoso si se rezase untos en familia, con los amigos, n la parroquia, el Santo Rosario odos juntos. ¡Es un momento recioso para hacer aún más ólida la vida familiar, la amistad! Aprendamos a rezar cada vez más en familia y como familia!".*

*Papa Francisco.*

**¿Cómo rezar el Rosario?:**

Al inicio:

Por la señal, de la Santa Cruz de nuestros enemigos líbranos, Señor, Dios nuestro.

*O bien:*

En el nombre del Padre y del Hijo y del Espíritu Santo. Amén.

Se reza un Acto de contrición (ver página 24).

Tras pronunciar el misterio, se reza un Padrenuestro, diez Avemarías y un Gloria.

### *Misterios gozosos (lunes y sábados):*

1. La Encarnación del Señor.
2. La Visitación de Nuestra Señora a su prima Santa Isabel.
3. El Nacimiento del Señor.
4. La purificación de Nuestra Señora y presentación del Niño en el Templo.
5. El Niño perdido y hallado en el templo.

### *Misterios dolorosos (martes y viernes):*

1. La oración del Señor en Getsemaní.
2. La flagelación del Señor.
3. La coronación de espinas del Hijo de Dios.
4. El Señor con la Cruz a cuestas.
5. Jesús muere en la Cruz.

### *Misterios de la luz (jueves):*

1. El bautismo de Jesús en el Jordán.
2. La autorrevelación de Jesús en las bodas de Caná.
3. El anuncio del Reino de Dios.
4. La Transfiguración del Señor en el monte Tabor.
5. La institución de la Eucaristía.

### *Misterios gloriosos (miércoles y domingos)*

1. La Resurrección de Jesús.

- La Ascensión del Señor.
- La venida del Espíritu Santo sobre la Virgen María y los apóstoles.
- La Asunción de Nuestra Señora al Cielo.
- La Coronación de María como Reina de la creación.

***Coronilla de la Divina Misericordia:***

Se reza utilizando el rosario.

Al inicio:

**P**adrenuestro, Avemaría y Credo.

En cada cuenta del Padrenuestro se reza:

**P**adre eterno, yo te ofrezco el Cuerpo, la Sangre, el Alma y la Divinidad de tu amadísimo Hijo Nuestro Señor Jesucristo en reparación de nuestros pecados y los del mundo entero.

¡JESÚS, EN TI CONFÍO!

En cada cuenta del Avemaría se reza:

**P**or su dolorosa Pasión, ten misericordia de nosotros y del mundo entero.

Al acabar se reza tres veces:

**S**anto Dios, Santo Fuerte, Santo Inmortal, ten misericordia de nosotros y del mundo entero.

# ORAR CON LOS 5 DEDOS DE LA MANO

## *Intenciones sugeridas por el Papa Francisco con los cinco dedos de la mano*

2. Por los que me instruyen y sanan.
1. Por los que están cerca de mi.
3. Por mis líderes.
4. Por los débiles, enfermos o atormentados.
5. Por el más pequeño, por mi.
3
2
1
4
5

1. El **pulgar** es el dedo más cercano a ti. Así que empieza rezando por quienes están más cerca de ti. Son las personas más fáciles de recordar. Orar por nuestros seres queridos es "una dulce obligación".

2. El siguiente dedo es el **índice**. Ora por los que te enseñan y te curan. Esto incluye a los maestros, profesores, médicos y sacerdotes. Ellos necesitan apoyo y sabiduría para indicar la dirección correcta a los demás. Tenlos siempre presentes en tus oraciones.

El siguiente dedo es el más largo, el **corazón**. Nos recuerda a nuestros líderes. Ora por nuestros líderes, los dirigentes, empresarios y quienes tienen autoridad. Estas personas dirigen los destinos de nuestro país y guían a la opinión pública. Necesitan la guía de Dios.

El cuarto dedo es nuestro dedo **anular**. Aunque a muchos les sorprenda, es nuestro dedo más débil, como te lo puede decir cualquier profesor de piano.

Nos recuerda orar por los más débiles, los que afrontan desafíos o los afectados por alguna enfermedad. Necesitan tus oraciones de día y de noche. Nunca será demasiado lo que reces por ellos. También debe invitarnos a orar por los matrimonios.

5. Y por último está nuestro dedo **meñique**, el más pequeño de todos, que es como debemos vernos ante Dios y los demás.

Como dice Jesús: "los últimos serán los primeros". Tu meñique debe recordarte rezar por ti mismo. Después de haber rezado por los demás, podrás entender mejor cuáles son tus necesidades y verlas en su justa medida.

# ORACIÓN POR LOS QUE HAN MUERTO

*"¡Sí, abrazaremos a nuestros familiares después de la muerte y estaremos siemp con el Señor,"*

*Dice el Papa Francisco. "Ellos pueden vernos y rezan por nosotros y nos cuidan.*

**D**ale Señor el descanso eterno y brille para él la luz perpetua.

Descanse en paz.

Amén.

# ORACIÓN A MARÍA QUE DESATA LOS NUDOS

*La Virgen María tiene en sus manos una cuerda con nudos que desata, ¿lo ves?*

*Cada nudo representa un problema de nuestra vida.*

lla como madre quiere que seamos felices. 'or eso María desata nuestros nudos.

**Əración (hacer la Señal de la Cruz):**

María, madre de Jesús y madre mía,
Te pido que por favor desates este nudo de la vida mía.

*(dices ahora el problema para el que necesitas la ayuda de la Virgen María).*

Reza un **Padrenuestro**, un **Avemaría** y un **Gloria** al Padre, al Hijo y al Espíritu Santo.

*(confía en que la Virgen María ha escuchado tu oración).*

Si rezas esta oración Nueve días seguidos, entonces haces una Novena.

¡A la Virgen María le gusta que le insistamos pidiendo!

Pide la ayuda de tu papá o de tu mamá para que la recen contigo.

# ORAR CON SAN JOSÉ

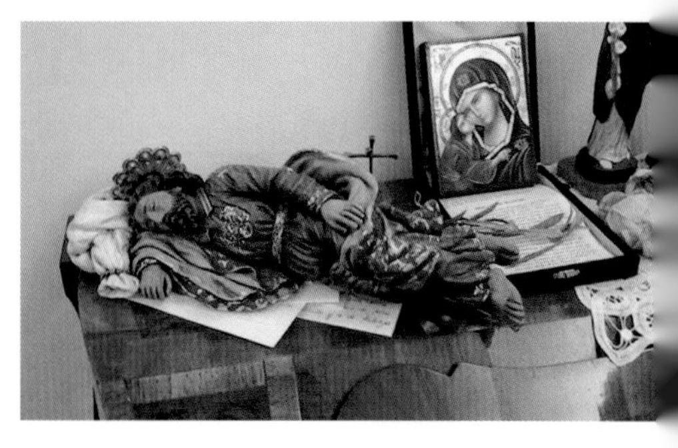

*El San José dormido del Papa Francisco con los papelitos de sus peticiones, en su casa.*

*Yo quiero mucho a San José porque es un hombre fuerte y de silencio y tengo una imagen de San José durmiendo y ¡durmiendo cuida a la Iglesia!*

*¡Y cuando tengo un problema, una dificultad, yo escribo un papelito y lo pongo debajo de San José, para que lo sueñe!...*

*¡Esto significa para que él rece por ese problema!*

*Papa Francisco. Filipinas, enero de 2015*

*"Cada vez que le he pedido algo a San José, me lo ha concedido", comentó el Papa Francisco.*

*Nota del Evangelio: fue en un sueño como San José recibió los mensajes del cielo primero sobre el embarazo de María (también en sueños escuchó el nombre que debía dar al niño) y después sobre el peligro que representaba Herodes, por lo que huyó con su familia a Egipto y más tarde –en otro sueño– regresar a Nazaret. (NdE).*

**Pedir una gracia a San José:**

**A**cuérdate, San José, esposo de la Virgen María y protector mío, que jamás se ha oído decir que ninguno que haya invocado tu protección e implorado tu auxilio haya sido abandonado de ti.

Animado por esta confianza ya que ejerciste como padre de Jesús vengo a tu presencia y me encomiendo a ti con fe confiada. No deseches mi súplica, antes bien óyela y acógela con tu cuidado paterno... *(mencionar la petición).*

Amén.

*"Y tomé por abogado y señor al glorioso San José y me encomendé mucho a él. No me acuerdo hasta hoy de haberle suplicado nada que no me lo haya concedido"(V 6,6).*

*Santa Teresa de Jesús*

# SACRAMENTALES

omo cristianos usamos sacramentales
ue nos recuerdan a Jesús, María y los
antos.

os Sacramentales son bendiciones,
cciones y objetos especiales que nos
a la iglesia para santificar nuestra vida y
nomentos de nuestra vida.

*Medalla Milagrosa*

Los sacramentales incluyen: la bendición de
as personas, de cosas (casas, automóviles,
alimentos, etc.) aceite bendecido, agua
bendita, palmas, cenizas y velas. También
incluyen medallas benditas, rosarios,
estatuas e imágenes de santos.

Las acciones también pueden ser sacramentales: hacemos la señal de la cruz con agua bendita. Esto nos recuerda nuestro bautismo.

También hacemos la señal de la cruz cuando el sacerdote nos bendice durante la misa y los sacramentos.

## CONTRA EL PODER DE LAS TINIEBLAS

***Invocaciones a Jesús y María:***

**S**álvame, Cristo Salvador, por la fuerza de tu Cruz: Tú que salvaste a Pedro en el mar, ten piedad de mí.

Ven en mi ayuda, santísima Virgen María, en todas mis tribulaciones, angustias y

ecesidades: ruega por mí a tu amadísimo
Hijo, para que me libere de todo mal y
peligro, del alma y del cuerpo.

***Oración a San Miguel Arcángel:***

San Miguel Arcángel, defiéndenos en la
lucha, ampáranos contra la maldad y las
insidias del demonio.

Príncipe de la milicia celestial, con la fuerza
de Dios, arroja en el infierno al diablo y a los
otros espíritus malignos, que vagan por el
mundo para la perdición de las almas.

Amén.

# ORAR POR EL PAPA

Señor, Tú que nos diste a Pedro como Pastor para guiar y sostener nuestra fe en el camino hacia la Casa de tu Padre, protege, fortalece e ilumina a nuestro Santo Padre el Papa Francisco en su vida y en su ministerio para que sea feliz y desborde en él la vida abundante que Tú quieres para nosotros.

# DESCUBRE TU FE CRISTIANA

# EL CREDO

***El Credo, lo que es la Fe:***
***La Fe es creer que Dios, el Señor, nos quiere y nos habla.***

**Y** lo que creemos está contenido en El Credo (ver página 16).

# LOS MANDAMIENTOS

***¿Quieres ser feliz ahora y luego ir al Cielo?:***

**C**on la ayuda de Jesús lo conseguirás.

Él mismo dice:
"Haz esto y vivirás" *(Evangelio de Lucas, 10:28).*

Jesús nos enseña las reglas para ir por el buen camino y ser felices ahora.

Por eso la Fe nos pide cumplir los MANDAMIENTOS.

Nuestra vida no es vagar sin rumbo. Tenemos una meta segura: "La casa del Padre en el Cielo".

## a regla de oro (Evangelio de Mateo, 7,12):

"Portaos en todo con los demás como ueréis que los demás se porten con osotros".

## os Diez Mandamientos de Dios ara nosotros:

"Los tres primeros Mandamientos son para amar a Dios y los siete siguientes para amar al prójimo y a ti mismo".

"Yo soy el Señor, tu Dios:

1. Amarás a Dios sobre todas las cosas.
2. No tomarás el Nombre de Dios en van
3. Santificarás las fiestas.
4. Honrarás a tu padre y a tu madre. (Es el primer mandamiento al que se le añade una promesa: "Para que te vaya bien tengas larga vida sobre la tierra", *Efesios 6:4*
5. No matarás.
6. No cometerás actos impuros.
7. No robarás.
8. No dirás falso testimonio ni mentirás.
9. No consentirás pensamientos ni deseos impuros.
10. No codiciarás los bienes ajenos.

***¿Y quién es mi prójimo?:***

Son los demás, especialmente los más cercanos o próximos a ti.

Lee lo que dice Jesús en la Parábola del Buen Samaritano (*Evangelio de San Lucas 10, 25-37*)

***Estos Diez Mandamientos se resumen en dos:***

1. Amarás al Señor tu Dios con todo tu corazón, con toda el alma, con toda tu mente.
2. Amarás a tu prójimo como a ti mismo (*Evangelio de Mateo, 22:37*).

# EL MANDAMIENTO NUEVO DEL AMOR

*(Evangelio de Juan, 13,34-35):*

***Jesús, en la Última Cena y antes de su Pasión nos dio este mandamiento:***

"Os doy un mandamiento nuevo: amaos los unos a los otros. Así como yo os he amado, amaos también vosotros los unos a los otros.

En esto todos reconocerán que vosotros sois mis discípulos: si os amáis los unos a los otros".

***Los Cinco Mandamientos de la Iglesia:***

1. Participar en la Misa todos los domingos y fiestas de guardar, y no realizar trabajos y actividades que puedan impedir la santificación de estos días.
2. Confesar los propios pecados, mediante el sacramento de la Reconciliación al menos una vez al año.
3. Recibir el sacramento de la Eucaristía al menos en Pascua.
4. Abstenerse de comer carne y observar el ayuno en los días establecidos por la Iglesia.
5. Ayudar a la Iglesia en sus necesidades materiales, cada uno según sus posibilidades.

# LOS SACRAMENTOS

***La Fe te da muchas ayudas para la vida.***

Jesús nos quiere muchísimo y nos dejó varios signos donde Jesús mismo nos da su gracia: Los siete sacramentos. ¿Para qué?, para llevarnos a Dios y acompañarnos en los momentos de la vida.

**Bautismo.** Por el que nos hacemos hijos de Dios en su familia: La Iglesia.

**Eucaristía.** En ella Jesús mismo se nos da como alimento en el Pan

## \ LOS OTROS AMADO”

el Vino consagrados , para darnos su vida divina y vivir para siempre.

**Reconciliación o Confesión.** Cuando hacemos algo mal y quedamos tristes, podemos pedir perdón a Dios nuestro Padre y recuperar su amistad y la alegría de vivir.

**Confirmación.** Por este sacramento crecemos en la fe, la esperanza y el amor y recibimos fuerza para dar testimonio.

**Matrimonio.** Con este sacramento Jesús bendice a un hombre y a una mujer que forman una familia nueva.

**Orden Sacerdotal.** Con este sacramento Jesús consagra a quienes llama a ser sacerdotes. Ya que Jesús está en el Cielo, los sacerdote son Jesús para nosotros y nos cuidan, nos enseñan y nos dan Su Gracia.

**Unción de Enfermos.** Aquí Jesús va al encuentro de la persona que sufre para protegerla y decirla cuanto la ama y sanarla.

# LAS BIENAVENTURANZAS

*(Mateo, 5*

Jesús nos enseñó la mejor forma de vivir, como Él mismo vivía. Lo dice en las Bienaventuranzas (Bienaventurados significa Felices):

1. Bienaventurados los pobres de espíritu, porque de ellos es el Reino de los cielos.
2. Bienaventurados los mansos, porque ellos poseerán en herencia la tierra.
3. Bienaventurados los que lloran, porque ellos serán consolados.
4. Bienaventurados los que tienen hambre y sed de justicia, porque ellos serán saciados.

5. Bienaventurados los misericordiosos, porque ellos alcanzarán misericordia.
6. Bienaventurados los limpios de corazón, porque ellos verán a Dios.
7. Bienaventurados los que buscan la paz, porque ellos serán llamados hijos de Dios.
8. Bienaventurados los perseguidos por causa de la justicia, porque de ellos es el Reino de los cielos.
9. Bienaventurados seréis cuando os injurien, os persigan y digan con mentira toda clase de mal contra vosotros por mi causa.

Alegraos y regocijaos porque vuestra recompensa será grande en los cielos.

# OBRAS DE MISERICORDIA

***El Papa Francisco nos ha dicho:***

"**A**bramos nuestros ojos para mirar las miserias del mundo, las heridas de tantos hermanos y hermanas privados de la dignidad, y sintámonos provocados a escuchar su grito de auxilio.

Redescubramos las Obras de Misericordia Corporales:

- Dar de comer al hambriento;
- Dar de beber al sediento;
- Vestir al desnudo;
- Alojar al que no tiene casa y al peregrino;

Asistir a los enfermos;

Visitar a los presos;

Enterrar a los muertos.

no olvidemos las Obras de Misericordia spirituales:

Dar consejo al que lo necesita, (si ayudamos a superar la duda, que hace caer en el miedo y en ocasiones es fuente de soledad);

Enseñar al que no sabe (si fuimos capaces de vencer la ignorancia en la que viven millones de personas, sobre todo los niños privados de la ayuda necesaria para ser rescatados de la pobreza);

- Corregir al que se equivoca;
- Consolar al triste (si fuimos capaces de ser cercanos a quien estaba solo y afligido);
- Perdonar las ofensas (si perdonamos a quien nos ofendió y rechazamos cualquier forma de rencor o de odio que conduce a la violencia);
- Soportar con paciencia a las personas molestas (si tuvimos paciencia siguiendo el ejemplo de Dios que es tan paciente con nosotros);
- Rogar a Dios por los vivos y por los difuntos (si encomendamos al Señor en la oración a nuestros hermanos y hermanas).

# AÑO LITÚRGICO Y COLORES LITÚRGICOS

El Año Litúrgico se compone de estaciones especiales llamadas Tiempos (Tiempo de Adviento, Tiempo de Navidad, etc.)

**NAVIDAD** (oro sobre blanco): tiempo de celebrar el nacimiento del Hijo de Dios, que está siempre con nosotros.

**CUARESMA** (morado): nos preparamos para celebrar la Pascua, volviendo nuestro corazón hacia el Señor.

**SEMANA SANTA** (rojo): la más importante celebración, la de la muerte y resurrección de Jesús.

**TIEMPO PASCUAL** (oro sobre blanco): tiempo de alegría, nos alegramos y celebramos que Jesús resucitó a una nueva vida.

**TIEMPO ORDINARIO** (verde): celebramos especialmente la vida y enseñanzas de Jesús.

# COLORES LITÚRGICOS Y DE LAS CASULLAS

**Blanco:** significa alegría, pureza, gloria.

**Rojo:** significa fuego del amor y la sangre derramada por Cristo.

**Morado:** significa humildad y penitencia.

**Verde:** significa esperanza.

TIEMPO ORDINARIO
AVIDAD
Fiesta de Jesús;
irgen María
los Santos
CUARESMA
SEMANA SANTA
DOMINGO DE RAMOS
VIERNES SANTO
PASCUA

***Alessandro:** Querido Papa Francisco, "¿por qué eres Papa?".*

**Papa Francisco:** "A uno, los cardenales lo eligen Papa. Ellos se reúnen, hablan entre ellos de lo que necesita la Iglesia hoy, piensan y sobre todo –esto es lo más importante– **se reza**. Reunidos en el Cónclave no pueden hablar con gente de fuera, están como aislados para elegir el Papa" explicó.

"Después, cada uno da su voto y se hace el recuento, y quien tenga los dos tercios es elegido Papa. Es un proceso hecho de mucha oración. No se paga, no existen amigos poderosos que empujan, no, no", agregó.

"Es Dios, el Espíritu Santo, el que a través de los votos hace al Papa". "Quizás no es el más inteligente, quizás no sea el más astuto, quizás no es el más espabilado para hacer las cosas, **pero es el que Dios quiere para ese momento de la Iglesia**".

"Y como todas las cosas de la vida el tiempo pasa, el Papa debe morir como todos, o jubilarse, como ha hecho el gran Papa Benedicto porque no tenía buena salud, y llegará otro, que será diferente, será diverso, quizás será más inteligente o menos inteligente, no se sabe".

***Agostino:** Para ser Papa ¿hay que sacar buenas notas?*

"Hay que ser, primero de todo, buen cristiano. Primero se es sacerdote, después obispo. Pero en los primeros tiempos de la Iglesia no todos los Papas eran sacerdotes: algunos eran diáconos. Con el tiempo se ha establecido este sistema de elección y ahora solo eligen al Papa los cardenales".

***Flavio:** ¿Qué querías ser de mayor cuando eras niño?*

Te lo cuento, pero no te rías, no hagan bromas: Quería ser carnicero. ¡De verdad! Porque cuando iba mercado con mi abuela y veía cómo troceaban la arne y pensaba: qué bien lo hace este hombre, y me ustaba".

*Cuál ha sido el momento más difícil de tu vida?*

Por la salud pasé momentos difíciles. Cuando enía 20 años estuve al borde de la muerte por una nfección, me tuvieron que quitar parte de un pulmón, pero el Señor me hizo salir adelante.

La vida es un don de Dios, pero en la vida hay muchos momentos difíciles que hay que superar y seguir adelante. Yo he tenido muchos, como todo el mundo".

Para mí la vida –prosiguió– no ha sido fácil. Siempre hay dificultades en la vida, pero no hay que asustarse. Las dificultades se superan, se va hacia delante, con la fe en Dios, con la fuerza, con valentía".

***Elisabetta:*** *¿Cuándo comenzó tu primer encuentro con Jesús?*

Jesús siempre nos sale al encuentro. Y si ves a Jesús que viene de esta parte y te haces un poco el tonto y miras a la otra, ¿Jesús se va?

***Niños:*** *¡No!, ¡te ayuda!*

¿Te agarra por la oreja y te hace así? (hace el gesto).

***Niños:*** *¡No!, te hace entender dónde te has equivocado.*

Eso es. Te habla al corazón, hace que te des cuenta de lo que es el amor. Y si tu no quieres escucharle, ¿Qué hace? ¿Se va?

***Niños:*** *¡No!*

Se queda. Se queda allí. Tiene paciencia. **Jesús siempre espera**. Y esta es la respuesta a tu pregunta.

Nosotros nos acercamos a Jesús, pero descubrimos que **ha sido Él quien se ha acercado antes. Estaba a esperándonos**. Y espera. **Y nos habla**. Pero siempre está ahí.

Y si tú has hecho algo malo, ¿te echa?

***Niños:** ¡No!, ¡te perdona!*

¡Te perdona!

Y tú tienes que decirle que sientes haber hecho estas cosas, ¿verdad?

***Niños:** ¡Sí!*

Estás arrepentido, y Él te perdona. Pero siempre es Jesús que se acerca el primero. Y está siempre en nuestros corazones. Nunca nos abandona. Siempre está con nosotros. En los buenos tiempos está con nosotros, cuando jugamos, cuando estamos contentos ¿está con nosotros?

***Niños:** ¡Sí!*

Y en los malos momentos de la vida, ¿también?

***Niños:** ¡Sí¡, está cerca de nosotros y nos consuela.*

Muy bien, nos consuela. Es verdad, Jesús es así.

***Sara:** ¿Hay algo que te asusta o te da miedo?*

Cuando ella –Sara– me ha hecho la pregunta, se ha acercado a mí y me ha dicho: "Pero, ¿sabes que me asustan las brujas?" (risas, risas). Pero ¿hay brujas?

***Niños:** ¡No - sí...!*

¿En serio? Y cuando oís a un señor que dice: "no, yo voy a la bruja porque tengo una enfermedad (un malestar) y ella me hará tres o cuatro cosas, y me curará," Esto... ¿cómo se llama ?

***Niños:** Mentira.*

Mentira. Mentir. Sí, se llama estupidez, porque las brujas no tienen ningún poder. ¿De acuerdo? Lo digo por ese: "me dan miedo las brujas".

Qué me asusta o me da miedo?... Me asusta tanto ıando una persona elige ser mala. Porque una ərsona mala puede hacer tanto daño.

me asusta también cuando en una familia, en un arrio, en un lugar de trabajo, en una parroquia, incluso n el Vaticano, **cuando hay chismes**; eso me asusta. scuchadme. ¿Habéis escuchado o visto en la elevisión lo que hacen los terroristas? Lanzar una omba y huir: esto es lo que hacen. Una de las cosas. os chismes son así: se trata de lanzar una bomba y uir. Y los chismes destruyen, destruyen. Destruyen na familia, destruyen un barrio, destruyen una arroquia, destruyen todo. Pero, sobre todo, los hismes destruyen tu corazón. Porque si tu corazón es apaz de lanzar la bomba, tú haces el mal en secreto, tu corazón se corrompe. ¡Nunca chismes! ¿Estáis de cuerdo o no?

***Niños:** ¡Sí!*

Tened miedo de los chismes! ¡Nunca! "Pero me gustaría decir algo de éste ...". ¡Muérdete la lengua! Muérdete la lengua antes de decirlo. "Pero duele". **Sí, e dolerá, pero no harás daño al otro! ¿Entendido?**

Me asusta la capacidad de destrucción que tienen os chismes, este hablar mal del otro y destruirlo, a escondidas. Y esto es muy malo.

***Edoardo:** ¿Cuáles han sido los mejores momentos de tu vida?*

Ha habido tantos momentos hermosos... Uno fue cuando de niño iba al estadio con mi padre; algunas veces también venía mi madre a ver el partido. En aquellos tiempos no había problemas en los estadios y era precioso. Los domingos, después del mediodía, después del almuerzo, ir al estadio y luego ir a casa... Era precioso.

Otro momento bonito de la vida es reunirse con los amigos. Antes de llegar a Roma, cada dos meses nos encontrábamos los diez amigos, compañeros de clase, que habíamos terminado la enseñanza media juntos; terminamos con 17 años y seguimos viéndonos, sí, cada uno con su familia... Era precioso.

Y también un momento muy hermoso para mí –me gusta mucho– es cuando puedo rezar en silencio, leer la Palabra de Dios me sienta bien, me encanta. Hay muchos momentos bonitos en mi vida, tantos... doy gracias al Señor.

***Camilla (adolescente de confirmación): A veces usamos demasiado el teléfono móvil o siempre estamos delante de la televisión. También nos gusta sin embargo, salir con los amigos, pero a veces no somos capaces de escuchar a los demás y de escucharnos a nosotros mismos. ¿Cómo podemos resolver este problema? (tanta tecnología que permite comunicar, pero tanta dificultad de diálogo***

Es muy bonito esto, porque hoy podemos comunicar por todas partes. Pero falta el diálogo. Pensadlo... Cerrad los ojos, imaginad esto: la mesa, mamá, papá, yo, mi hermano, mi hermana, todos con su propio teléfono móvil, hablando... Todo el mundo habla, pero hablan para fuera. No hablan unos con otros. Todos comunican, ¿verdad?, Sí, a través del teléfono, pero no dialogan.

Este es el problema **hoy en día**: la falta de diálogo. Y la **poca capacidad de escuchar**. Como si tuviéramos los oídos tapados. Escuchar... Sí, "estoy hablando con el teléfono móvil", pero no escuchas a los que están cerca de ti, no dialogas, estás en comunicación con otro que quizás no sea comunicación verdadera, no es diálogo: yo digo esto, tu dices lo otro, pero todo es virtual.

:nemos que llegar al diálogo concreto, y os lo digo a
)sotros, los jóvenes. Y ¿cómo se empieza a dialogar?
on el oído. Destapar los oídos. Oídos abiertos para
scuchar lo que sucede.

or ejemplo: Voy a visitar a un enfermo y empiezo a
ablar: "No te preocupes, te curarás pronto, blablá
ablá ..., adiós, que Dios te bendiga." Pero ¿cuántas
eces se hace así? El pobre enfermo se queda tal cual...
ero lo que necesitaba era que le escuchasen. Cuando
as a ver a un enfermo, cállate, dale un beso, hazle
na caricia, una pregunta: "¿Cómo estás?". Y déjale
ablar. Necesita desahogarse, necesita quejarse,
ecesita también no decir nada sino sentirse mirado
escuchado. La lengua en el segundo lugar; en primer
gar, ¿qué es lo que hay?

*Jiños: Los oídos.*

Y la lengua en que lugar está? En el segundo, siempre.
**scuchar. Y de la escucha al diálogo**. Y también
diálogo concreto, porque el que se hace con el
eléfono es virtual, es "líquido", no es concreto. La
oncreción del diálogo. Esto es muy importante. ¿Lo
abéis entendido?

Haced así: aprended a preguntar: "¿Oh, cómo estás?",
Bien ...", "¿Qué hiciste ayer?...". Haces una pregunta
dejas hablar a la otra persona . Y así comienza el
iálogo. Pero que el otro hable siempre primero, y tu,
scúchalo bien. Esto se llama "el apostolado del oído".
Entendido? Así va el diálogo. Todos tenemos que
prender estas cosas.

*Papa Francisco, 21 Febrero 2017/ 14 marzo 2017*

"Yo estaré
con vosotros
todos los días
hasta el fin
del mundo"
M

*Dedicado a Miguel, un benjamín
que es un regalo y sorpresa continua.*